PETER MAYLE

la Provence

à vol d'oiseau

la Provence
à vol d'oiseau

PETER MAYLE

Photographies aériennes de Jason Hawkes

GRÜND

À Ann, avec amour
JASON

Texte original
Peter Mayle
Photographies aériennes
Jason Hawkes
Adaptation française
Jean-Louis Houdebine
Secrétariat d'édition
Ivana Losco, assistée d'Élène Grangier

Première édition française 1998 par Librairie Gründ, Paris
© 1998 Librairie Gründ pour l'édition française
ISBN 2-7000-2521-0
Dépôt légal : août 1998
© 1994 Peter Mayle pour le texte
© 1994 photographies aériennes Aerial Images Ltd
Édition originale 1994 George Weidenfeld and Nicolson Ltd,
Orion House, Londres, sous le titre original : *Provence*
PAO : Bernard Rousselot, Paris
Imprimé en Italie

Page 1 Yacht dans une calanque, près de Cassis
Pages 2-3 Ménerbes

SOMMAIRE

VOYAGE DANS UNE BULLE

J'ai commencé à me douter de quelque chose lorsque Jason Hawkes m'a aimablement proposé de me prêter une paire de pantalons thermiques. «Vous en aurez besoin. Nous avons enlevé la porte latérale, et il va faire un peu froid.» Je lui ai demandé si ce genre d'accoutrement était absolument nécessaire. «Oh! oui, comme ça vous pourrez vous pencher à l'extérieur pour avoir une meilleure vue.»

Pendant que je me débrouille tant bien que mal avec lesdits pantalons dans un coin du petit hall de départ de l'aéroport d'Avignon, les passagers qui attendent le vol du matin pour Paris m'observent avec intérêt – des coups d'œil rapides, obliques, avant de se replonger dans la lecture de leur quotidien. Comment pourraient-ils savoir qu'au lieu de me joindre à eux dans un avion pourvu de tous ses hublots bien clos, je me prépare à faire mon premier voyage en hélicoptère – un hélico grand comme un mouchoir de poche avec un trou béant au milieu?

En me dandinant sur des jambes soudain devenues énormes, je me dirige vers l'aire de décollage où le pilote, Tim Kendall, est en train de faire le plein de carburant. De loin, l'hélicoptère paraît vraiment petit; et plus je m'approche, plus il semble diminuer de taille, se réduisant aux dimensions d'un bocal à poissons rouges, ouvert aux quatre vents côté passagers, minuscule, et à mes yeux de novice, dangereusement fragile. Tim est venu avec d'Angleterre – un vol de sept heures, très agréable, à l'en croire…

CI-CONTRE Selon les experts de la météo locale, la Provence bénéficie de trois cents jours de soleil par an : en voici un. La lumière baigne le Lubéron, la plaine prend sa couleur dorée, et le visage de chaque hôtelier s'ouvre d'un large sourire.

On n'entre pas dans un engin pareil : on tente de s'y glisser. Et si vous avez un peu de bon sens, vous prenez grand soin de ne pas laisser traîner vos genoux ou vos pieds trop près du manche à balai et de la barre de gouvernail. Je me vois très bien nous envoyer tous, d'un mouvement involontaire de la jambe, dans une vrille fatale, une descente en piqué au milieu des vignes, quelque part entre Avignon et Ménerbes. Tim, qui a évidemment noté la délicatesse excessive avec laquelle je m'installe, me dit de me relaxer. J'essaie. Je regarde le tarmac, à 1,50 mètre en dessous, tout en tentant de réprimer les premiers frissons du vertige. Le fuselage de l'hélicoptère arrive juste sous mon genou gauche. Dans la bulle du cockpit, le plafond est à quelques centimètres de ma tête. Kendall me dit de vérifier que ma ceinture de sécurité est bien attachée. Précaution inutile. À la serrer encore davantage, deux de mes côtes risqueraient d'y passer.

Puis c'est le décollage – et la première bonne surprise. Contrairement à la sensation d'écrasement sur son siège que l'on éprouve au décollage d'un avion, il n'y a rien de plus que l'augmentation du bruit du moteur et une

CI-DESSUS Ménerbes, sur sa colline, prend le soleil. Il y a des soirs où le village est si tranquille que le bruit d'un volet qu'on ouvre s'entend à deux rues de distance.

7

Ci-dessus Nuages dans la vallée, si épais qu'on croirait pouvoir marcher dessus. On les traverse parfois en escaladant le Lubéron : expérience étrange, mais rafraîchissante. On arrive au sommet en nage.

lévitation en douceur, presque imperceptible. Lorsque j'ose ouvrir enfin un œil inquiet l'aéroport d'Avignon n'est plus qu'une rangée de bâtiments miniatures, 150 mètres en dessous. Nous prenons la direction de l'est, vers le soleil levant et le Lubéron. Dans les écouteurs du casque, le moteur est à peine audible, et on n'a nullement l'impression de se mouvoir dans l'air. En bas, sur la grande route menant à Avignon, les voitures avancent silencieusement, comme des vairons argentés à la surface sombre d'une rivière. Et nous, nous flottons au-dessus, aussi tranquillement qu'un nuage en suspens. Difficile de croire que nous filons en plein ciel à 160 kilomètres à l'heure. Je tends une main au-dehors : je sens comme une plaque d'air solide contre ma paume. La voix de Tim se fait entendre dans les écouteurs : «On tourne. Tenez-vous.» L'hélicoptère s'incline, l'horizon bascule d'un coup, et l'envie me prend de m'accrocher à quelque chose de solide, fût-ce la jambe du pilote. Dans un moment pareil, une sangle épaisse de quelques millimètres ne suffit vraiment pas à vous faire oublier que votre position n'a rien de naturel, sans même un bout de Plexiglas et de fuselage entre vous et une longue chute dans le vide. Quel soulagement quand l'horizon retrouve sa place habituelle…

Après avoir survolé Cavaillon, nous commençons à suivre la ligne de la route que j'ai prise des centaines de fois en voiture – celle qui conduit chez moi. Au-dessus de Ménerbes, nous descendons un peu, et je peux apercevoir un petit attroupement près du bureau de poste. Personne ne lève la tête. Les hélicoptères ne sont pas rares dans la vallée. On raconte que ce sont des fonctionnaires qui les utilisent, pour s'assurer, par exemple, que nul n'est en train de porter atteinte à la sûreté de l'État en construisant illégalement une piscine. Car pour ça, il vous faut un permis. Malheur au contrevenant qui tente de cacher sa piscine derrière des arbres et des haies. La patrouille aérienne des piscines la découvrira, et la sanction suivra.

Nous perdons encore de l'altitude en approchant de notre maison, et passons au-dessus de la profonde entaille infligée au vignoble par l'une des tempêtes du printemps dernier, quand près de dix centimètres d'eau sont tombés en deux à trois heures. Nous avons eu de la chance : ne reste du déluge que cette tranchée de plus d'un mètre de profondeur coupant à travers les vignes. D'autres bien moins chanceux, comme à Vaison-la-Romaine, ont perdu leurs voitures, et même leurs maisons. Dans la tranquillité de ce matin ensoleillé, difficile d'imaginer une violence aussi destructrice.

Encore plus bas, maintenant : nous survolons la maison, l'ombre de l'hélico glisse sur le toit. Ma femme sort, agite les bras ; les chiens gambadent dans la cour, et je remarque que la piscine aurait bien besoin d'être nettoyée. Pendant la saison des incendies de forêt, on dit que les pompiers utilisent des hélicoptères spécialement équipés pour pomper l'eau des piscines et la déverser sur les flammes. Cela m'avait toujours paru une histoire provençale des plus improbables. Mais aujourd'hui, depuis mon poste d'observation immobile à quinze mètres au-dessus du petit bassin, cela me semble tout à fait réalisable. Comme Tim me l'a dit, les hélicoptères peuvent pratiquement tout faire, sauf tondre la pelouse.

CI-CONTRE *Au pied des Alpilles, Saint-Rémy, avec sa couronne de platanes, est l'une des villes les plus élégantes et les plus séduisantes de la Provence. Bons bistrots à signaler.*

On vire, on prend de l'altitude, et on grimpe jusqu'en haut des montagnes derrière la maison – en une minute, alors qu'à pied il faut trimer près d'une heure. La vue s'étend au sud, jusqu'aux reflets lointains de la Méditerranée. Vers le nord, le fond des vallées est encore sous l'épais tapis des brumes matinales que percent les cimes des arbres et les masses grises des escarpements rocheux. Un couple de pies, fringantes dans leur plumage noir et blanc, s'envole de son arbre, probablement dérangé par le bruit. Cela fait drôle de voir les oiseaux de par-dessus.

Tout en suivant la route forestière qui court le long des crêtes du Lubéron, nous survolons la carrière de Ménerbes, où des années d'exploitation ont transformé le bas de la montagne en un amphithéâtre entouré de puissants blocs rocheux aux bords affilés. Cette érosion progressive de la montagne, aussi laide soit-elle, fournit une pierre merveilleusement crémeuse qu'un artisan expérimenté peut sculpter comme un savon. Les coins en sont alors arrondis, les bords émoussés, l'aspect de dureté disparaît, et l'on est comme surpris de voir que la pression la plus vigoureuse des doigts ne peut plus l'entamer.

Huit cents ans avant l'invention de l'hélicoptère, le village d'Oppède, aujourd'hui Oppède-le-Vieux, s'est développé autour du château qui appartenait primitivement aux comtes de Forcalquier. Au cours des siècles, le château a changé de mains, et les villageois sont allés s'installer plus bas, dans un endroit plus accessible, moins escarpé. Ils laissaient derrière eux, tout en haut de l'ancien village, la petite église Notre-Dame-d'Alydon. La contemplant installé dans mon fauteuil aérien, j'essaie d'imaginer les efforts qu'il a fallu déployer pour la bâtir sur ce rocher solitaire dont les pentes, vues d'en haut, paraissent aussi abruptes que celles d'une falaise. Pas de bulldozers, ni de grues hydrauliques, ni d'électricité, chaque pierre montée à dos d'homme ou d'âne, taillée, dégrossie et placée à la main. Mais pourquoi là ? Pourquoi pas sur un terrain plus plat, en bas du village ? C'est alors que je me suis souvenu de ce qu'un ancien m'a dit, un jour que je flânais dans un cimetière minuscule jouissant d'un emplacement lui aussi spectaculaire : « C'est de là que Dieu a la meilleure vue. »

Manifestement, c'était déjà le cas au XIIe siècle.

Le contraste entre l'église sur son flanc de montagne et la platitude du site de Cavaillon, avec son incessante procession de poids lourds, est saisissant – comme si nous avions traversé des centaines d'années en quelques minutes. Nous croisons ensuite la Durance et ses rares filets d'eau couleur de boue, puis l'autoroute empruntée chaque été par la moitié de l'Europe pour descendre sur la Côte d'Azur, et survolant la plaine nous nous dirigeons sur Saint-Rémy et ses montagnes miniatures.

Je commence à me sentir plus à l'aise – de moins en moins comme un plongeur pétrifié au bout de son tremplin. Encouragé par l'assurance nonchalante

Ci-dessous Le palais des Papes, avec ses jardins donnant sur le Rhône, et le pont d'Avignon enjambant le fleuve. Il est recommandé aux danseurs d'être prudents : le pont s'arrête avant d'avoir atteint l'autre rive.

du pilote, je me risque à passer la tête au-dehors, et me parvient alors une délicieuse odeur de feu de bois – sans doute un feu de jardin qui brûle, très loin au-dessous. Voilà qui ne vous arrivera pas en 747, pas plus que vous ne pourrez éprouver la sensation, étrange et merveilleuse, de traverser en direct un arc-en-ciel. Rien de plus normal, apparemment. Tim a changé de cap et s'est enfoncé en plein milieu d'un petit nuage. Comme on pouvait s'y attendre, nous sommes plongés dans une houle de brume gris-blanc. Mais juste devant nous, il y a comme un rideau aux mille couleurs un peu passées qui danse dans la lumière aussi délicat qu'un voile transparent. Il y a une explication scientifique à ce phéno-mène – c'est lié aux émissions de gaz du moteur et à l'action des pales de l'hélice. Il doit même y avoir une formule mathématique pour ça. Mais en ce qui me concerne, l'impression a quelque chose d'inattendu, de magique.

Nous revoilà de nouveau dans le bleu. Je peux distinguer maintenant les calcaires déchiquetés, d'un blanc d'os, des Alpilles qui se dressent à l'ouest de Saint-Rémy. De loin, cela paraît tout petit, décoratif, presque douillet. Tout change lorsque l'on se rapproche. Dès que l'on commence à passer entre les pics et les crêtes, c'est l'âpreté du décor qui frappe, et cela ressemble plus à quelque désolant paysage lunaire qu'à l'un des endroits les plus agréables de la Provence.

En revanche, il est bien attirant, ce joli petit terrain de golf, et le village des Baux, célèbre autrefois pour sa bauxite, et plus connu aujourd'hui pour ses charmes touristiques et gastronomiques. La piscine et la ter-rasse du restaurant de la Baumanière glissent au-dessous de nous, et j'ai bien envie de demander à Tim s'il ne pourrait pas atterrir parmi les grosses cylindrées du parking de l'hôtel. Je suis en train de découvrir que voler me donne un furieux appétit. Sans doute une conséquence de mes frayeurs passées.

Mais voici le célébrissime pont – évoqué dans une chanson tout aussi célèbre, des milliers de cartes pos-tales et des dizaines de milliers de photos de vacances. En fait, il en subsiste moins de la moitié : des vingt-deux arches initiales, il n'en reste que quatre, les bonnes gens d'Avignon ayant estimé que sa reconstruction et son entretien auraient été trop onéreux. Y dansait-on vraiment avant qu'il ne s'écroule ? Probablement pas, disent les historiens. On dansait en dessous, sur l'île de la Barthelasse au milieu du fleuve.

Petite parenthèse : de retour sur terre, débarrassé de mes pantalons thermiques, et ayant à éviter les embardées mortelles de l'automobiliste en route vers quelque petit déjeuner, je m'apercevrai plus tard com-bien me manquent la paix et cette extraordinaire sensation de liberté totale qui auront si fortement marqué mon baptême de l'air en hélicoptère.

Et puis, bien sûr, il y a les panoramas, cette carte en trois dimensions qui vous fait voir si clairement l'ensemble de la région et les transformations, positives ou négatives, que l'homme lui a apportées.

CI-DESSUS ET PAGE SUIVANTE
Pas d'embardées ni de déviations :
à aucun moment on ne s'est écartés
de la ligne droite, presque comme
si le tracteur était monté sur rails.

À observer le soin avec lequel tout cela est organisé, on pense immédiatement à l'intervention d'une sorte de jardinier géant procédant à des exercices de géométrie. La ligne droite domine partout, dessinant tous ces motifs impeccables à la surface des champs, sur les versants des collines. Vous voyez ainsi, sur deux terrains adjacents, un carré de vignes qui a été planté selon un axe nord-sud, alors que son voisin est orienté est-ouest, et vous pouvez être sûr que dans chaque cas le choix a été longuement réfléchi, mûri. Monsieur Dupont (nord-sud) est persuadé qu'il a exactement tenu compte de la situation du terrain, de son ensoleillement. L'orientation de ses pieds de vigne est parfaitement adaptée au microclimat, et le raisin sera donc excellent. Monsieur Fernand (est-ouest) est tout aussi sûr de son fait. Ils se salueront aimablement quand ils se croiseront sur leurs tracteurs, tout en éprouvant, chacun de son côté, un sentiment de secrète satisfaction, jusqu'à pousser un petit soupir d'apitoiement à l'idée que l'autre s'est trompé.

De temps à autre, les minces rangées de vignes sont interrompues par des bouquets plus volumineux de cerisiers, eux aussi disposés avec soin. En été, ils ressemblent à des parapluies d'un vert un peu languissant. En hiver, leurs rameaux sont tout éclaboussés des taches presque lumineuses, couleur turquoise, des pesticides. Et à une certaine période de l'année, habituellement en mai, ils fournissent un spectacle qui vaut tous les feux d'artifice. La floraison commence en mille petites explosions diffuses parmi les arbres, pour aboutir à un immense bouquet rose et blanc qui, s'il n'y a pas de vent, peut durer quinze jours. Après les fleurs, ce sont les fruits, et bientôt les cueilleurs de cerises sur leurs échelles de bois triangulaires. Évidemment, d'en haut, celles-ci sont invisibles. Tout ce que l'on voit, et de manière plutôt déconcertante, ce sont les cimes des arbres d'où émerge parfois le bras bronzé ou la casquette d'un cueilleur qui tente d'atteindre une haute branche.

CI-DESSUS Ce champ en Camargue ressemble plus à une œuvre d'art moderne à grande échelle – lignes géométriques et nuances de gris – qu'à un système d'irrigation.

Dans la vallée, le seul produit qui déroge à cette ordonnance géométrique est le melon. Il pousse en bouquets disséminés dans les champs, qui sont presque toujours, pendant la saison, sous la surveillance d'un curieux personnage que l'on voit se déplacer lentement, courbé en deux. C'est qu'il est en train de juger de leur maturité, et de choisir ceux qui sont prêts pour le bref voyage qui les conduira au marché de Cavaillon, ou celui, plus long, et plus lucratif, qui les emmènera à Paris. Ses ennemis naturels, à mesure que grimpe la température estivale et que le niveau des eaux dégringole, ce sont les sangliers qui hantent la montagne. À la fin d'une chaude journée, ils en descendront à la recherche d'un peu de fraîcheur, dévastant les vergers, envahissant les piscines, retournant les parterres de fleurs et traversant les routes sans aucunement se soucier des automobiles. Pour un sanglier assoiffé, la perspective d'un melon dans la fraîcheur du soir est irrésistible. Mais pas n'importe quel melon. Le sanglier est un connaisseur. Seuls les melons bien mûrs – précisément ceux qui étaient destinés au marché du lendemain matin – l'intéressent. Et pour ajouter à la frustration du paysan, il se trouve que la saison des melons ne coïncide pas avec celle de la chasse au sanglier. Il faut

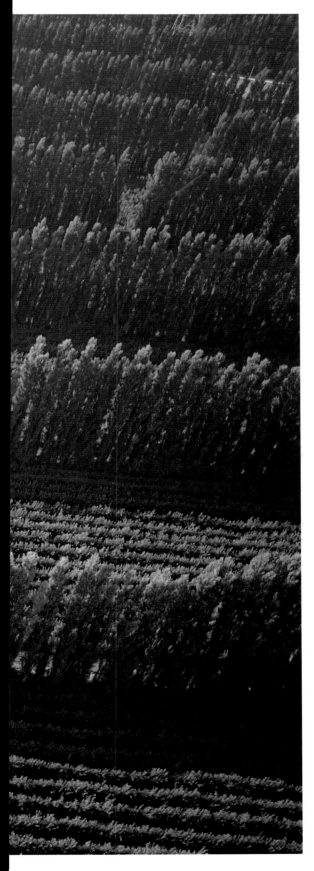

donc laisser le fusil au râtelier, tandis que l'intrus s'en donne à cœur joie tout en méditant sur les générosités de la nature. Il n'en faut pas plus, parfois, pour abandonner la production du melon et se lancer dans celle des champignons. Ou alors, pour peu que l'on soit disposé à quitter la vallée et à grimper dans les collines, on peut essayer la culture la plus spectaculaire de toutes : celle de la lavande.

Même aux jours les plus tristes de janvier, un champ de lavande est agréable à voir. Disposés en touffes grises ébouriffées, les pieds de lavande forment des lignes sinueuses, comme si toute une colonie de hérissons étaient venus hiberner là, le nez entre les pattes. Au printemps, une multitude de petites pousses vertes apparaissent, et puis, un jour d'été, c'est tout le champ qui vire au pourpre – un pourpre qui ne cesse de s'approfondir et de s'accentuer avant d'atteindre en juillet son maximum d'intensité, dans un tel déferlement de couleurs que vous en avez presque mal aux yeux.

Voilà déjà une belle récompense pour celui qui a la chance de posséder un carré de lavande : mais cela ne s'arrête pas là. Les abeilles raffolent de la lavande, et si vous mettez des ruches dans un coin de votre champ, vous aurez au petit déjeuner un miel délicieusement aromatisé. L'essence de lavande parfume votre savon et votre bain. La lotion de lavande apaise la peau qui a été piquée par des insectes ou brûlée par le soleil. C'est un plaisir que d'ouvrir une garde-robe ou un tiroir garnis de lavande séchée; et lorsque vous allumez votre première flambée de l'hiver, il suffit d'y jeter un peu de la lavande de l'été dernier pour que toute la fragrance de juillet embaume la maison. On dit même qu'il n'y a rien de tel qu'une tisane de lavande pour purifier le système digestif et stimuler la joie de vivre. Petit détail pratique, susceptible de satisfaire tout paysan provençal : la lavande n'entre pas dans l'alimentation du sanglier.

Ce travail séculaire de la terre ne vise pas seulement la production de telle ou telle denrée : on peut également observer d'en haut le graphisme extraordinaire fourni par quelques exemples de culture défensive. Les arbres ont été ainsi utilisés pour se protéger, aussi bien contre les rafales dévastatrices du mistral que contre les matraquages du soleil.

Il court des histoires affreuses sur le mistral, sur lesquelles chacun brode à plaisir, comme quoi il donnerait le cafard, rendrait fou, ferait tourner le lait

CI-CONTRE Peupliers à la parade, captant les derniers rayons du soleil près du Thor, aux alentours d'Avignon. Parfois pousse à leur pied un succulent champignon, aussi grand et aussi juteux qu'un bon steak.

*Ci-contre Sandwich
de platanes – vue partielle
du cours Mirabeau
à Aix-en-Provence,
où naquit et grandit
Cézanne.*

des chèvres qui allaitent, ou serait même capable de vous précipiter du haut d'une falaise. Reste que c'est en effet un vent fort malveillant, agaçant et énervant en été, mordant et perfidement froid en hiver. Bien à l'abri dans le confort de votre voiture, vous avez tout loisir d'admirer sa puissance quand il déferle à travers le paysage. C'est tout autre chose lorsque vous travaillez dans les champs. Il vous pique les yeux, vous fouette la peau, vous applique une compresse glacée sur le dos, vous arrache le chapeau de la tête – bref, vous fait envier un petit boulot bien au chaud dans le bureau de poste du village. Au fil des années, les paysans ont donc appris à se défendre. Sachant que le mistral attaque invariablement à l'ouest, ils y ont dressé des barricades de cyprès plantés si serrés que seul un chien étique pourrait passer entre les troncs. Sur des centaines de mètres, vous verrez ainsi de ces coupe-vent qui se dressent en travers de la plaine, selon un angle précisément calculé pour bloquer, ou tout au moins atténuer, les effets de ce torrent d'air qui s'engouffre dans la vallée du Rhône, prêt à vous tomber sur le râble.

Autre cible favorite des forces de la nature : le haut de votre crâne, et quiconque est resté trop longtemps à prendre le soleil de midi en juillet ou en août, se souviendra de l'expérience – comme si une loupe avait été placée directement sur votre tête. Vous avez affreusement chaud aux cheveux, votre cuir chevelu transpire. Vous recherchez l'ombre, et le plus souvent vous en trouvez, au bord de la route, sur une place de village ou un boulevard urbain, sous l'épais feuillage d'un platane.

Dans d'autres parties du monde, le platane est autorisé à pousser en hauteur, à l'instar de tout arbre normal, dont les ambitions sont plus verticales qu'horizontales. Pas en Provence. Ici, dès sa naissance, le platane est considéré comme un parasol en puissance et traité en conséquence. Les premières chutes de feuilles en automne voient apparaître des escouades d'élagueurs. Avec une rigueur qui confine à la brutalité, ils scient, taillent, tranchent, jusqu'à ce qu'il ne reste plus qu'un tronc surmonté de moignons noueux, arthritiques. On pourrait croire qu'aucun être vivant ne résistera à une opération aussi sévère ; et pourtant, chaque printemps, les moignons donnent naissance à de petites branches pleines d'optimisme qui, si l'élagage a été fait correctement, poussent en largeur plutôt qu'en hauteur. Et en été, on bénéficie de l'ombre !

Je connais, non loin de chez moi, deux endroits où l'on peut admirer de splendides platanes, et chaque fois que j'y passe, je salue la perspicacité de ceux qui les plantèrent au XVIIIe siècle. Le premier est une avenue longue de sept kilomètres – et, bien entendu, absolument droite – qui conduit à Saint-Rémy quand on y arrive par l'est. Lorsque vous la descendez en voiture, en été, c'est un continuel chatoiement d'ombre et de lumière, quasi hypnotique. D'en haut, vous voyez le toit des véhicules étinceler un instant, se dérober, puis réapparaître.

Mon second lieu de prédilection n'est pas aussi étendu, mais il est tout aussi rectiligne, et beaucoup plus célèbre : ce sont les quelque cinq cents mètres du cours Mirabeau, l'ancienne adresse de Cézanne à Aix-en-Provence. On a pu dire que c'était « l'une des rues les plus belles de France » : ses proportions architecturales sont parfaites, ses fontaines apportent leurs ornementations et leur fraîcheur ; mais, pour moi, ce sont ses deux magnifiques rangées de platanes des XVIIe et XVIIIe siècles qui font sa beauté. Chaque fois que je me rends à Aix, je tire mentalement mon chapeau au maître jardinier à qui ma tête nue doit d'être ainsi dûment protégée du soleil. Et je me demande souvent ce que penseraient aujourd'hui ses prédécesseurs – ceux qui ont fondé Aix – s'ils pouvaient voir ce qu'est devenue leur ville.

Fondée en 123 avant J.-C., elle fut la première colonie romaine en Gaule, et comme elle possédait des sources thermales, on l'appela *Aquae Sextiae* (l'une de ces fontaines déverse toujours, sur le cours Mirabeau, son eau à 34 degrés). Les Romains de cette époque étaient d'une incroyable activité. Après des combats incessants, contre les Francs Saliens, les Teutons et autres importuns assez fous pour tenter leur chance, on aurait pu les croire plutôt fatigués : pas du tout. Plantation de vignes, urbanisme, construction de routes et de ponts et, histoire de se distraire un peu, érection de monuments et d'arcs de triomphe – autant de réalisations à leur actif. Partout en Provence s'exhibent les traces – et parfois beaucoup plus que des traces – de l'occupation romaine.

D'en haut, les finesses d'une sculpture, d'un monument, vous échappent : en revanche, vous avez une perception des constructions comme aucun Romain n'a jamais pu en avoir d'équivalente. Elles se comptent par dizaines, dont je ne retiendrai ici que le théâtre d'Orange, au sud de Vaison-la-Romaine. Orange est maintenant une ville d'environ trente mille habitants, mais à l'époque romaine elle en comptait près de trois fois plus, et le théâtre pouvait contenir dix mille spectateurs. Il a la forme d'un énorme « D » (le grand mur qui relie les deux extrémités du demi-cercle mesure près de cent mètres), et les rangées incurvées des sièges de pierre ont été taillées directement à flanc de coteau. L'ensemble est d'une telle dimension que si Shakespeare l'avait connu, il aurait immédiatement quitté son théâtre du Globe pour venir s'y installer.

CI-DESSOUS Le pont du Gard impressionna tellement Tobias Smollett (pourtant peu porté sur les compliments) qu'il le compara au Westminster Bridge. Il n'est pas sûr que les Romains en eussent été flattés.

CI-DESSUS Gordes au soleil couchant. Avec ses rues à petits pavés et son château Renaissance, le village semble spécialement bâti pour le plaisir des photographes.

CI-DESSUS Montagnes à l'est de Vaison-la-Romaine, lieu de prédilection des amoureux de la solitude. Vous ne buterez pas sur grand monde entre ici et l'Italie.

Pour une région qui est habitée, cultivée, depuis des milliers d'années, qui a connu de multiples invasions, depuis les Grecs et les Romains jusqu'aux hordes qui descendent maintenant du nord par l'autoroute en acquittant un droit de péage, la Provence est étonnamment… vide. Pour peu que vous ayez passé deux semaines sur la Côte d'Azur à disputer âprement vos deux mètres carrés de plage à une famille d'Allemands tapageurs ou que vous ayez essayé de trouver une place de parking à Avignon pendant le festival, cela vous paraîtra incroyable. Et pourtant, vu du ciel, cela est tout à fait évident.

À partir de Gordes – situé au centre d'une zone qui jouit, à ce qu'on dit, de la concentration de piscines la plus forte d'Europe et d'un parc automobile qui n'est pas mal non plus –, dix minutes de vol en direction du nord-ouest vous suffiront pour vous retrouver en plein désert. S'il vous arrive d'apercevoir des troupeaux de moutons, c'est probablement que vous n'êtes pas loin de Sisteron, dont la côte d'agneau aux herbes est l'un des délices de la Provence. Autrement, peu de signes de vie. De temps à autre, vous voyez une voiture progresser péniblement sur une route en lacet, ou vous croisez un busard effrayé ; mais point d'embouteillages dans les Alpes-de-Haute-Provence, lieu d'une pureté sauvage, inaltérée. On les appelait autrefois les Basses-Alpes, mais l'administration en charge de la nomenclature officielle a dû penser que c'était là une dénomination peu flatteuse, et, pour la plus grande gloire du patrimoine français, le nom fut modifié de façon à ne plus heurter les susceptibilités locales.

Survolant ainsi tel ou tel site de haute Provence, vous pouvez avoir l'impression d'être en plein mois de juin, alors qu'on est pourtant en février. Quoique plus bas dans le ciel, le soleil n'en est pas moins brillant, et les rochers, les broussailles, les petits chênes verts ne paraissent guère différents à zéro degré de ce qu'ils sont l'été. Mais plus au sud en revenant vers la côte, là où la campagne est plus plate et plus riche, plus question de se tromper de date. Déjà souvent spectaculaire au niveau du sol, le changement des saisons perçu du haut des airs est d'une beauté à couper le souffle.

De vastes perspectives s'offrent à vous. Ce n'est plus la vision habituelle, relativement fermée, des arbres et de leurs feuillages : vous voyez maintenant des forêts entières changer de couleur, de texture. Si beau soit-il quand il passe du vert au jaune roux en automne, un petit clos de vigne n'est rien comparé à l'immense tableau qu'il vous offre multiplié sur des dizaines d'hectares. Les champs de tournesols et les rangs de lavande semblent avoir été peints à même la terre. Les jeux de la lumière et du vent font passer les oliveraies du vert au gris argenté, puis de nouveau au vert. Tout ce que vous voyez vous ravit. Momentanément, du moins. Car vous attendent aussi des traces moins séduisantes de l'intervention humaine – ces boîtes de béton installées autour de villages médiévaux, ces kilomètres de serres en plastique, la raffinerie de Berre, sur la côte, et ses perpétuels vomissements de fumée, les pylônes électriques immanquablement placés sur la crête des collines pour qu'on les voie encore mieux. Ils sont nécessaires, bien sûr. Mais pourquoi faut-il qu'ils soient si laids ? Je ne puis m'empêcher de penser : si seulement les Romains étaient encore chargés des travaux publics…

Mais les souillures du paysage sont relativement rares, et nulle part autant que dans les diverses enclaves où se sont installées des célébrités du jour : politiciens, vedettes de cinéma, grands patrons et autres éminents personnages en quête de soleil et de tranquillité. Ce qui ne manque pas de susciter le vif intérêt de tout journaliste branché sur les grands de ce monde, et de provoquer l'apparition d'un autre genre de vacanciers, plus controversés, les paparazzi volants.

Pour se mettre en branle, il leur suffit d'une rumeur, d'un bruit qui court, entendu dans un petit restaurant chic ou au café du coin, comme quoi une célébrité aurait acheté une maison en Provence. Si l'enquête qui suit confirme l'exactitude de la nouvelle, on va d'abord à pied en reconnaissance examiner la propriété et les possibilités d'accès, repérer quelque buisson susceptible de vous abriter, ou tout autre élément favorable à un usage créatif du téléobjectif. Le maître de céans ne voulant manifestement pas être dérangé, la maison a été le plus souvent choisie en fonction de ses avantages stratégiques – bien cachée, entrée protégée par des grilles, absence de voisins, et invisible pour le passant occasionnel. Ainsi donc, pense naïvement le propriétaire, elle est complètement à l'abri du monde extérieur – un vrai havre de paix où se réfugier après les affres de la vie publique. Et tel serait bien le cas, s'il n'y avait… l'hélicoptère. Depuis plusieurs années, volant

CI-DESSOUS Champ de tournesols, dans la campagne de Van Gogh, près de Saint-Rémy, où l'artiste passa tristement dans un asile la dernière année de son existence.

CI-CONTRE Si vous voulez vous baigner ici, sur la côte près de Cassis, il faudra y venir en bateau ou à pied. Mais l'eau en vaut la peine – propre, claire, et personne pour vous gêner.

à basse altitude dans l'espoir de surprendre le bain de soleil de telle ou telle éminente nudité, l'hélicoptère est devenu l'analogue aérien du pied qu'un intrus vient coincer dans votre porte d'entrée. Durant les longs mois d'été où les nouvelles se font rares, les magazines consacrent des dizaines de pages en couleurs aux piscines et aux terrasses des célébrités. Et pendant que l'on nous montre des photos plus ou moins floues et finalement toutes identiques, on tente de nous convaincre combien ces gens sont fascinants.

Tenez, voici par exemple le romarin de la princesse Caroline de Monaco. Voici le barbecue de Jack Lang, le terrain de boules de Gérard Depardieu, ou la terrasse sur laquelle le président Mitterrand est censé avoir un jour déjeuné, ou encore – mais oui, c'est bien elle, là – la camionnette du jardinier de Terence Conran. De temps à autre, on a la chance de tomber sur la photo de quelqu'un de presque banal, qui grimace parce qu'il a le soleil dans les yeux. Qui est-ce? On s'en fiche! Et pourtant, aussi sûr qu'un embouteillage à Saint-Tropez au mois d'août, vous savez qu'ils remettront ça l'été prochain. Un hélicoptère décollera de nouveau pour nous offrir toute une autre série de toits de tuiles en guise de révélations exclusives.

Le carnet d'adresses de dame Nature est autrement intéressant, ne serait-ce qu'en raison des changements de ton, d'atmosphère, qui s'y opèrent dans le cours d'une seule journée. Un village qui vous a paru charmant au petit matin, accueillant à midi, peut prendre une allure lugubre, voire un peu sinistre, à mesure que décline la lumière. Les ombres s'installent, s'épaississent, les rues se vident, les volets se ferment, et les chats qui ont paresseusement somnolé toute la journée au soleil commencent à se hâter de rentrer, longeant invariablement les murs, comme s'ils étaient en retard. Alors, au loin, se dresse le bloc obscur et inquiétant de cette curiosité géologique que l'on appelle à juste titre le «mont venteux».

Le mont Ventoux est le point le plus élevé entre les Alpes et les Pyrénées, et vous ne risquez pas de le manquer. Le Ventoux est chauve, et son sommet est perpétuellement blanc, d'un blanc parfois aveuglant qui le plus souvent n'est pas dû à la neige, mais au calcaire de ses masses rocheuses, qui ressemblent un peu à un chantier que des entrepreneurs peu scrupuleux auraient laissé à l'abandon. Et on ne pourrait guère les en blâmer. Quand le vent y souffle, vous pénétrant jusqu'aux os, c'est un endroit d'une telle âpreté qu'on se hâte de le quitter pour regagner des lieux plus aimablement méditerranéens. Il en va du Ventoux comme d'un violent orage : on l'apprécie mieux à distance. Et pourtant, pendant des centaines d'années, des hommes ont relevé le défi de son ascension au prix de mille difficultés – fatigue, épuisement, déshydratation, ou pire encore.

La première escalade connue est celle qu'en fit Pétrarque, le poète, en 1327. Il lui fallut toute une journée, et il en tira un récit en prose, en latin, où l'on retrouve bien les caractéristiques singulières du mont, de sa calotte rocailleuse à l'ombre impeccablement conique qu'il projette au lever et au coucher du soleil.

Des siècles plus tard, c'est au cours de son ascension que mourut le coureur cycliste britannique Tom Simpson. D'une crise cardiaque, a-t-on dit : un petit monument à sa mémoire a été édifié à cet endroit – peut-être aussi pour avertir d'autres athlètes que les capacités du corps humain ne sont pas illimitées. Quand mon fils me soutint l'an dernier qu'il était capable de rouler jusqu'au sommet, je m'attendais presque à une catastrophe. Il le fit, de justesse, mais, pendant un jour ou deux, il resta anormalement tranquille. Je ne pense pas qu'il recommencera. L'expérience, semble-t-il, ne fut guère agréable, et elle a contribué à me faire d'autant plus apprécier les avantages d'une ascension en hélicoptère.

Envisagée de cette façon, la visite des monuments devient un vrai plaisir. Fini, le calvaire des voitures engluées sur les routes surchauffées de l'été. Vous êtes libre, et en une seule matinée vous pouvez voir les vignobles de Cassis sur la côte, les roches rouges de l'Estérel, les lagunes et les flamants de la Camargue, le château Renaissance de Lourmarin, les ruines du château du marquis de Sade, à Lacoste – le monde est à vous, et rien ne vous empêche d'atterrir pour regarder de plus près.

Par rapport aux levers de soleil que peuvent voir ceux qui sont rivés au sol, les vôtres sont plus purs, plus vastes, et les couchers plus lents – vos seuls voisins sont les nuages étirés en forme de cigares, teints d'un rose improbable, qui ornent les soirs de Provence. Vous flottez en l'air, tout en vous demandant ce que Cézanne ou Van Gogh auraient ressenti à voir ainsi leurs paysages du haut de ce perchoir en plein ciel.

Mais ce sont là fantaisies de spectateur amateur, du passager qui n'a rien d'autre à faire que de jouir de sa toute petite chambre avec vue. Il en va bien autrement pour ceux qui travaillent. Les qualités requises sont très exigeantes. Le photographe et le pilote doivent être prêts à se lever bien avant l'aube, à une heure où la plupart d'entre nous manifestent une nette prédisposition à prolonger leur sommeil, de façon à pouvoir partir aux premières lueurs du jour. Souvent, il y a trop de brume ou de turbulences, ça ne vaut pas la peine de décoller. Quant au milieu de la journée, alors que la brume s'est dissipée et que le vent est tombé, ce n'est pas la peine non plus : le soleil est trop haut et la lumière trop à la verticale. Rien à faire, sinon à passer une journée frustrante.

CI-DESSOUS Terrasses surplombant Nice. Par beau temps, on voit toute la baie des Anges, et l'on peut contempler à loisir les yachts des milliardaires entrer et sortir du port.

CI-CONTRE *Sur la plage à Cassis. En allant un peu plus loin sur la côte, la vue serait bien différente : vous auriez du mal à distinguer le sable sous la foule.*

Si le ciel est clément et la lumière adéquate, peut-être pensez-vous que la tâche du photographe est simple : faire la bonne mise au point, viser et appuyer sur le bouton. Vous et moi pourrions le faire… et réaliser des centaines de photos parfaitement banales. Car pour créer une image qui étonne, il faut être capable de voir différemment, que votre sujet soit beau, banal, ou même laid. Il faut avoir l'œil.

Si vous l'avez, un abominable tas de tomates pourries devient une chaîne de montagnes rougeoyantes presque surréelles ; une gare de triage prend l'apparence d'une montre sans aiguilles ; des ombres sur le sol deviennent de véritables constructions ; des villages ont l'air de gigantesques navires de pierre amarrés parmi les vignes. Et imaginez tout ce qu'il a fallu faire pour prendre la photo.

Vous êtes là, à 160 kilomètres à l'heure, et votre œil est attiré par une composition particulière de lumière et de paysage. Vous descendez, vous vous immobilisez, vous vous penchez. Au mépris de ce que vous dicte votre instinct, vous passez tout le haut du corps hors du cockpit, avant de procéder, dans des conditions pour le moins inhabituelles, aux délicates manipulations d'usage – centrer, régler la pose. À mes yeux, il y a là un acte de foi très étonnant, de confiance totale, non seulement dans la maigre épaisseur des sangles qui vous barrent la poitrine, mais tout autant dans la compétence de votre pilote.

J'ai eu la permission un jour, le temps de quelques secondes étroitement surveillées, de jouer les apprentis pilotes. C'était une journée tranquille, sans vent. Jusqu'à ce que je prenne le manche, nous avions eu un vol absolument sans problème. Tout semblait facile. Eh bien, ça ne l'est pas. Les commandes réagissent au moindre frémissement des doigts. Il suffit de se déplacer d'un millimètre sur son siège, et que votre pied exerce une minuscule pression sur la barre de gouvernail pour que l'hélicoptère obéisse et fasse immédiatement quelque chose qui n'était pas prévu au programme. Ce fut pour moi une vraie leçon quant à l'insouciance avec laquelle nous nous déplaçons habituellement, et je pris soudain conscience qu'il fallait être bien vigilant, et expérimenté, si l'on voulait que le vol se déroule sans anicroche.

Hawkes et Kendall, l'œil et la main… Ils m'ont démontré combien je connaissais peu la Provence, et tout ce qu'il me restait à voir. J'ai hâte de repartir avec eux.

CI-DESSUS Encore une belle journée qui se termine à Marseille. Vous pouvez être sûr qu'à cette heure, nombreux sont ceux qui sirotent un pastis.

le NORD

*Du mont Ventoux à Avignon
et au Grand Canyon du Verdon*

CI-CONTRE ET CI-DESSOUS *À l'est de Vaison-la-Romaine et dans le nord du Vaucluse qui a une population plus dense, la région change de nom et se vide. Les Alpes-de-Haute-Provence s'étendent jusqu'à la frontière, tantôt vertes, tantôt bleues ou grises. On y trouve quelques habitants, les moutons à la chair si parfumée – et donc les plus célèbres du pays – et quelques routes. Mais ce n'est pas un endroit pour vacancier grégaire ou pour tous ceux qui se sentent mal sans buildings à l'horizon. Au-dessous de Barcelonnette, la ville la plus septentrionale de la Provence, on trouve le parc national du Mercantour, paradis des randonneurs et refuge des aigles, des faucons, des chamois et des bouquetins. Avec de bonnes chaussures et du courage, vous atteindrez l'Italie.*

PAGE DE GAUCHE *Perçant la couche de nuages, la tour futuriste qui marque le sommet du Ventoux. Par temps clair, lorsque le mistral a nettoyé le ciel, des gens munis de télescopes et d'un solide optimisme visuel vous soutiendront qu'ils peuvent voir jusqu'à Nice. Pour les passionnés de la marche, le sommet leur est accessible à pied ou à bicyclette. Quant aux autres, la façon la moins éprouvante d'y monter est de le faire en voiture, facilité que l'on doit à un grand homme local, Édouard Daladier. Natif de Carpentras et président du Conseil dans les années trente, il avait alors fait construire une route (la D 974) qui mène au sommet.*

*CI-DESSUS ET PAGE DE DROITE   Le village de Mollans-sur-Ouvèze
et son église perchée. En Provence, pas de village qui se respecte sans
au moins une église, et nombre d'entre elles sont fascinantes, soit pour
leur architecture, soit parce qu'elles conservent quelque obscure
et précieuse relique. Les difficultés commencent souvent lorsque vous
essayez d'y entrer. Certaines églises sont fermées toute la journée,
sauf pour la messe. D'autres sont ouvertes toute la journée, sauf
au moment des repas. Si la porte résiste, la meilleure chose à faire est
d'aller à la mairie (mais là encore, pas à l'heure du déjeuner) ou au
presbytère et demander que l'on vous prête la clé.*

CI-DESSUS *Vaison-la-Romaine fut autrefois (il y a près de deux mille*
ans) une ville d'une richesse suffisamment notoire pour avoir mérité,
dans un latin quelque peu hyperbolique, le titre d'urbs
opulentissima. Et, naturellement, une ville opulente comme Vaison
se devait d'avoir son théâtre, dont on voit ici une partie. Comme celui
d'Orange, il sert de cadre encore utilisé aujourd'hui en été pour un
festival de musique et de théâtre. Les traces de l'époque romaine se
retrouvent partout à Vaison, dans les rues ou au musée, et c'est un
endroit infiniment intéressant pour qui a le goût de l'histoire – de
même pour qui a le goût du vin. Vaison se situe à la limite de
la région des côtes-du-rhône, et vous pouvez passer à la Maison du
Vin un après-midi très instructif et d'heure en heure plus euphorique,
à mener vos recherches sur les mérites respectifs des vins locaux.

PAGE DE DROITE *Le village de Saint-Étienne-des-Sorts projette*
son ombre – on dirait un décor de Walt Disney – sur les eaux du
Rhône. Depuis l'avènement du train, de l'avion et de l'autoroute,
le fleuve n'est plus la grande voie commerciale qu'il était naguère,
mais si l'on en croit la légende, il est toujours le repaire du monstre
mangeur d'hommes, la Tarasque. Un très vieux monsieur m'a
raconté un jour que la tante d'un cousin éloigné de son arrière-
grand-père avait été témoin de l'enlèvement d'une jeune fille sur
les bords du fleuve. Trois verres de pastis plus tard, la jeune fille
était devenue tout un groupe de vierges. Hélas! cette tragique
histoire est scientifiquement fort peu vraisemblable.

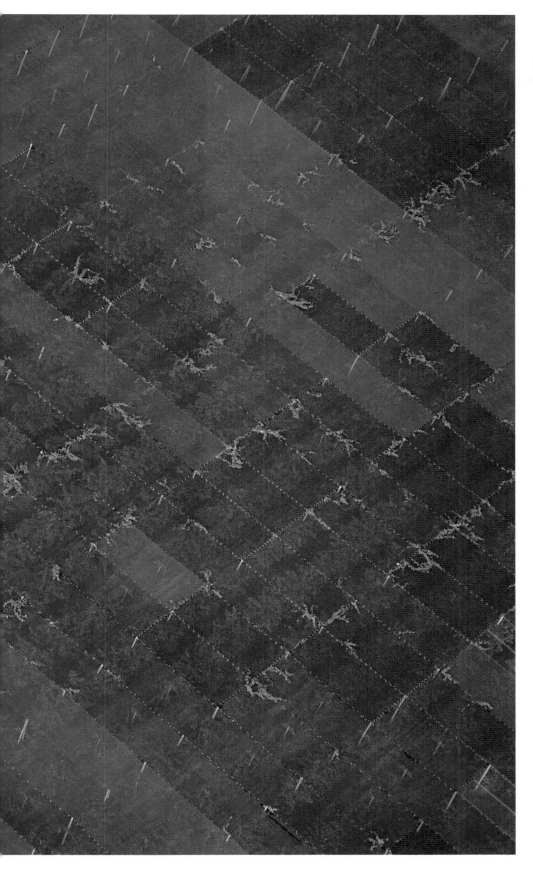

CI-DESSUS ET CI-CONTRE Symétries agricoles dans la campagne aux alentours d'Orange. Je me demande souvent comment le paysan provençal, attaché comme il est aux espaces bien ordonnés, s'y prendrait avec quelque chose d'aussi imprévisible que le bétail. Un troupeau de vaches, par exemple, avec leur tendance exaspérante à s'agglutiner ou à se disperser, le rendrait fou. Cela dit, le connaissant comme je le connais, il serait bien capable de leur apprendre à brouter en ligne, sur trois de front, de façon à ne pas offenser son sens de l'ordre.

CI-DESSUS *Le théâtre d'Orange, avec son mur, que Louis XIV aurait salué d'un compliment ayant traversé les siècles : «Le meilleur mur de mon royaume.» De fait, il a de quoi impressionner le spécialiste le plus blasé – 90 mètres de long, 36 mètres de haut, et toujours dans un état de conservation remarquable près de deux mille ans après sa construction par les Romains. Une superbe statue de César Auguste parcourt des yeux les sièges que peuvent occuper dix mille spectateurs.*

PAGE DE DROITE *Dégainez votre tire-bouchon. Voici Châteauneuf-du-Pape, où se font quelques-uns des vins les plus puissants de Provence, et où est né, au début des années vingt, le système moderne de l'appellation contrôlée. Les vignerons d'ici sont des gens sérieux, constamment sur le qui-vive face à tout ce qui pourrait menacer l'intégrité et la rentabilité de leurs précieuses vignes. Il y a quarante ans, lorsque les journaux rapportèrent que l'on avait vu des soucoupes volantes (qu'on appelait localement des «cigares volants»), les anciens du village réagirent immédiatement en prenant un arrêté municipal selon lequel tout atterrissage desdits «cigares» sur le territoire de la commune était absolument interdit. Et de fait…*

PAGE DE GAUCHE *La ville de Carpentras, autrefois placée sous la souveraineté du pape et administrée par des évêques, est la capitale du Vaucluse et le centre provençal du commerce de la truffe. De décembre à février, le marché du vendredi matin est l'occasion d'apprendre à flairer, soupeser, marchander, tandis que les prix sont fixés et que les billets (jamais de chèque) changent de mains. L'autre spécialité gastronomique de Carpentras est le berlingot. En sucer un aide à se concentrer pendant que vous tentez de négocier les virages de la rocade à sens unique qui fait le tour de la ville, et que les admirateurs locaux d'Alain Prost utilisent pour leurs exploits de vitesse.*

CI-DESSUS *Les tourelles et les murs crénelés de Montfaucon près de Roquemaure. Ce style d'architecture convient parfaitement à l'hôte qui a choisi de se retirer du monde. Au cas où les visiteurs importuns persisteraient, en dépit des portes et des volets clos, un bon chaudron d'huile bouillante déversée du haut d'une tourelle fera toujours l'affaire. Ce qui me rappelle un écriteau d'une merveilleuse misanthropie que j'ai vu un jour en lisière d'une réserve de chasse privée dans le Var. En gros, cela revenait à dire : « Tout contrevenant sera abattu, les survivants poursuivis. »*

PAGE DE GAUCHE Venasque semble constamment sur le point de quitter son assise rocheuse pour glisser jusqu'au bas des pentes du Ventoux. À la voir maintenant, minuscule et somnolente, on a peine à croire qu'elle fut la capitale du Comtat Venaissin, dont le territoire correspondait en gros au Vaucluse actuel. Il y a des remparts, et un baptistère du VIe siècle, mais très peu d'autres signes de son ancienne grandeur. Néanmoins, les magnifiques panoramas sont toujours là; à quoi s'ajoute un excellent restaurant – La Fontaine. Il se situe sur une toute petite place où, comme de juste, vous trouverez une fontaine.

CI-CONTRE Les couleurs traditionnelles de la Provence, reproduites sur d'innombrables banderoles, drapeaux, écussons, étiquettes, sont le jaune et le rouge. Ajoutons-y le bleu du ciel, bien sûr. Ce qui m'a en revanche toujours surpris, c'est le vert de la Provence. Évidemment, il est plus rare en hiver – essentiellement celui des chênes verts, des cyprès et du romarin –, mais, avec le printemps, la campagne se met à rayonner de toutes les nuances de vert imaginables, du vert éclatant des toutes nouvelles feuilles de vigne à celui, plus retenu, des amandiers, des cerisiers et des platanes. Et les champs, comme ceux-ci dans le Vaucluse, ont presque une luxuriance de jardin anglais.

CI-CONTRE Les routes provençales sont d'une extravagante diversité : cela va de la ligne droite impeccable, qui a la faveur des traceurs d'autoroute et des conducteurs de petits véhicules en surcharge, aux virages en épingle à cheveux de l'arrière-pays. Parfois les détours sont dus à des blocs rocheux trop gros pour être dynamités ; parfois, comme on le voit ici, ils ne font que se conformer aux caprices des propriétés privées. Si vous continuez sur cette route, vous trouverez l'une des plus charmantes petites villes du Vaucluse, Permes-les-Fontaines, la bien nommée. J'ai essayé un jour de les compter, et j'ai abandonné après en avoir dénombré trente-six. On m'a dit plus tard que j'en avais oublié une.

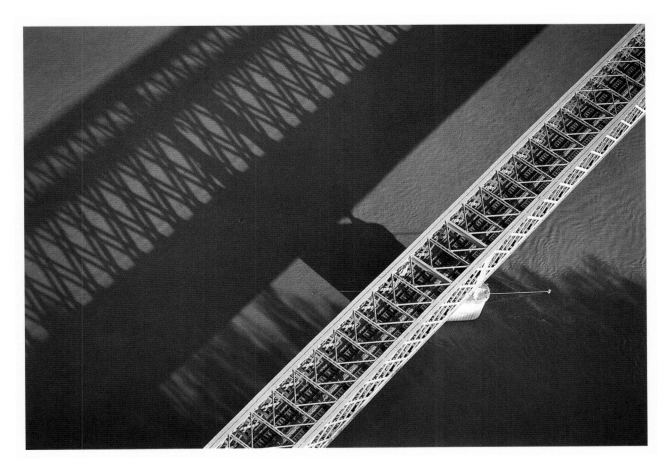

CI-DESSUS *Pont de chemin de fer au-dessus du Rhône, au nord d'Avignon. Le TGV qui relie la Provence à Paris couvre la distance en moins de quatre heures – train confortable et très rarement en retard. Sans doute inspirée par ses succès dans le Sud, la SNCF a ouvert la ligne «Napoléon» (!) sur le trajet Paris-Londres via le tunnel sous la Manche. On raconte que, dans un rare trait d'humour administratif, les Français demandèrent que leur train fût autorisé à arriver en gare de Waterloo. On attend toujours le commentaire des descendants du duc de Wellington.*

PAGES 42-43 *Villeneuve-lès-Avignon, située sur l'ancienne frontière entre le royaume de France et les territoires du pape de l'autre côté du fleuve. Les risques d'invasion ayant aujourd'hui beaucoup diminué, Villeneuve est un lieu plaisant, dont la quiétude abrite quelques œuvres d'art extraordinaires. Il y a une statue d'ivoire de la Vierge Marie, sculptée au XIVᵉ siècle, une Vierge à double face, et le Couronnement de la Vierge de Quarton, tableau qui met en scène, aux côtés de saints et de rois, une ou deux particularités locales. Le pape Innocent VI est enterré à Villeneuve. Depuis la tour de Philippe le Bel, gardant l'entrée du pont depuis six cents ans, vous avez de beaux panoramas sur Avignon et le mont Ventoux. Et, à la fin d'une journée consacrée aux monuments historiques, vous pourrez aller vous reposer dans un prieuré du XVIᵉ siècle reconverti en hôtel.*

CI-CONTRE Avignon a fait parfois l'objet de commentaires peu flatteurs. Pétrarque, par exemple, est épouvanté : « C'est un cloaque où viennent se réunir tous les immondices de l'univers. » Victor Hugo a écrit, peut-être après avoir remarqué la chaleur excessive des discussions : « À Paris, on se querelle ; en Avignon, on tue. » On y a toujours le sang chaud. Le spectacle de deux Avignonnais luttant à coups de klaxon pour une place de parking est un drame, plein de bruit et de fureur, au moins verbale. En somme, une ville animée. Et peut-être encore plus animée, et certainement plus dangereuse, au XIVe siècle, lorsque la ville devint le quartier général de la chrétienté. Clément V fut le premier pape à abandonner Rome au profit d'Avignon, Grégoire XI le dernier. Entre les deux, soixante-dix années de prospérité et de tout ce qui l'accompagne, des artistes et maîtres bâtisseurs aux prostituées et aux brigands, grands et petits. Saleté, maladie, débauche, violence étaient le lot quotidien – à moins, bien sûr, que vous ne fissiez partie des protégés de la cour papale, auquel cas vous étiez bien à l'abri derrière d'épais murs de pierre, au milieu d'un luxe considérable. Aujourd'hui, ce qui se rapproche le plus de cette époque mouvementée, c'est la période du festival annuel, lancé par Jean Vilar en 1947, quand les rues regorgent d'acteurs, de clowns, de musiciens, de mimes, de touristes ébahis et de gendarmes irascibles, tous surveillés, j'imagine, par l'ombre désapprobatrice de Pétrarque.

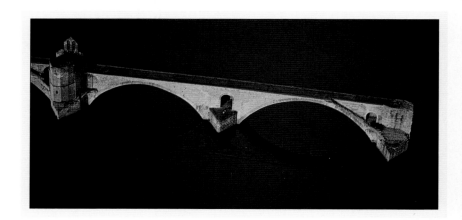

CI-DESSUS Le pont. Son nom officiel est « pont Saint-Bénezet », en souvenir de Bénezet, le petit berger qui, selon la légende, en posa les premières pierres au XIIe siècle. On peut y danser, ou simplement jouir du point de vue. À l'arrière-plan, le panorama de la ville est impressionnant, avec le grand mur du Rocher des Doms et, derrière, la masse un peu militaire du palais des Papes (qui servit aussi de caserne et de prison).

CI-DESSUS *Contrastant avec la rutilance aérodynamique du TGV, voici quelques locomotives plus vénérables rassemblées sur une aire de triage de la gare d'Avignon. Ce n'est peut-être pas très joli, mais au moins c'est fonctionnel – pas comme pour le parc de stationnement devant la gare. Un endroit à éviter, coûte que coûte. Celui qui l'a conçu a vraiment tout fait pour rendre fou l'automobiliste pressé de prendre son train. Difficulté d'accès, risques multiples de collision, énervement et panique en prime – il y a peu d'endroits au monde où le voyageur éprouve aussi fortement le sentiment qu'il aurait mieux fait de rester chez lui.*

CI-DESSUS Cimetière de camions, près d'Avignon. Du temps de leur jeunesse,
ils parcouraient la France, habituellement conduits par des gars costauds. On voit
rarement des chauffeurs routiers maigrichons, peut-être en raison des restaurants
du même nom, les «relais routiers», bien connus pour leurs parkings géants et leur
excellent rapport qualité-prix. Après un repas constitué de trois plats, simples mais
bons, et vin compris, on vous rendra encore la monnaie sur un billet de cent francs,
et le routier se sentira suffisamment requinqué pour dévorer quelques centaines
de kilomètres de plus avant la tombée de la nuit. (À l'époque d'avant les camions,
les «routiers» étaient des bandes de mercenaires qui se livraient volontiers au sac
d'Avignon – à moins que le pape ne les paie pour qu'ils s'en aillent piller ailleurs.)

CI-CONTRE Voici la profession de foi d'un conducteur de tracteur inconnu. Rien n'y vient déparer une perfection toute rectiligne – pas de zigzags, ni de traces de dérapage, de petit écart dû à un moment d'inattention au volant, pas de ligne tortueuse ni même légèrement déviante, et, à Dieu ne plaise, rien qui puisse faire penser à quelque embardée involontaire. Conduire un tracteur, ça paraît facile. Aller-retour des sillons, à une vitesse moyenne de 5 kilomètres à l'heure. Quoi de plus simple ? Et pourtant... très vite, vous vous apercevez que le terrain qui vous avait paru tout plat multiplie à plaisir les bosses, les trous, les ornières. De gros cailloux menacent à tout instant de faire dévier les roues. La monotonie des trajectoires tend à vous rendre moins attentif au volant. C'est pourquoi lorsque je vois un terrain comme celui-ci, près d'Avignon, je salue bien bas le «gentleman» à casquette et au visage tanné par le grand air, qui a su creuser avec persévérance des sillons aussi impeccablement droits et serrés.

CI-DESSUS Une des caractéristiques de la France rurale est la façon dont l'agriculteur exprime sa désapprobation. Celui-ci n'est jamais à court de motifs d'irritation – une nouvelle décision de Bruxelles, tel comportement des producteurs italiens ou espagnols, l'augmentation du prix du diesel ou la chute des cours du raisin – il y a toujours quelque chose pour le mettre hors de lui, et sa vengeance prend souvent une allure spectaculaire. Il décharge. Il décharge des melons sur les marches de la mairie, des pommes de terre sur l'autoroute, des cerises dans la fontaine du village ou, comme ici, des tomates sur les bords de la Durance.

CI-DESSUS *Dans la plaine fertile entre Avignon et Cavaillon, où les vergers l'emportent sur les vignes – des rangs et des rangs de goldens, ou peut-être de granny-smith, matière première des tartes aux pommes en Provence. Pour une raison mystérieuse, c'est le dimanche matin qu'elles sont le plus alléchantes, lorsque vous allez à la boulangerie pensant simplement vous acheter une miche de pain. Mais voilà, dans la vitrine il y a les tartes qui vous font signe, avec leurs tranches de pommes finement coupées, nappées d'une gelée d'abricot translucide. Allez, on suspend le régime jusqu'à lundi.*

CI-CONTRE *Très tôt dans la vallée du Rhône, avant que le soleil ait dissipé les brumes matinales. En automne, alors que la fumée monte des feux de jardin – manière traditionnelle de se débarrasser des brindilles après le recépage de la vigne –, le paysage ressemble à une forêt plantée de minces arbres gris. Pour les feux de jardin, la règle est stricte, en théorie sinon toujours en pratique : interdits entre la mi-avril et la mi-octobre, et durant toute l'année en cas de mistral. En dépit de ces mesures, chaque année semble apporter son lot d'incendies de forêt, et cette vision terrifiante de flammes progressant plus vite qu'un homme qui court. Le pire étant que la plupart de ces incendies sont volontaires.*

CI-CONTRE La Provence change de couleurs tout au long de la journée – de quoi rendre la vie impossible à un artiste qui voudrait capter l'essence de tel ou tel lieu en un seul tableau. Il y a les couleurs « carte postale » de la mi-journée – puissantes, chaudes, élémentaires, souvent aveuglantes. Et puis il y a les pastels des matins et des soirs, le rose et le mauve fané du ciel, le crémeux grisâtre et l'or pâle de la pierre, le vert doux, un peu flou, des vignes, et comme ici derrière Caumont-sur-Durance (près d'Avignon), ces bancs de brume de la couleur des champs de lavande.

CI-DESSUS ET PAGES 54-55 Fontaine-de-Vaucluse, l'un des lieux touristiques les plus anciens de Provence. Pétrarque y séjourna longtemps, jusqu'en 1353, et ses admirateurs y viennent depuis des centaines d'années. C'est là aussi que jaillit la Sorgue, à l'entrée d'une grotte au pied d'une falaise, et, au printemps, le spectacle est impressionnant. On a mesuré (tout se mesure, en France) son jaillissement à raison de deux cents mètres cubes à la seconde. En été, celui-ci se réduit à un maigre filet d'eau, et les touristes, qui étaient venus en espérant découvrir un Niagara provençal, contemplent la chose, perplexes et désappointés.

PAGE DE GAUCHE *Chaque lundi matin, le centre de Cavaillon est occupé par le marché : circulation automobile interdite, seuls les piétons ont droit de cité. Cavaillon a toujours été une petite ville prospère, et elle a encore la réputation (énergiquement démentie par les commerçants locaux au moment de la déclaration des impôts) d'avoir en France le revenu le plus élevé par tête d'habitant. Incontestable, en revanche, est ce qui fait la gloire du commerce local, le sublime melon de Cavaillon. Alexandre Dumas en était si friand qu'il fit cadeau de ses ouvrages à la bibliothèque de la ville en échange, chaque année, d'une douzaine des meilleurs melons de la récolte.*

CI-DESSUS *Automobilistes au péage sur l'autoroute du Soleil, que des millions de vacanciers empruntent chaque été pour descendre sur la Côte d'Azur. En août, la plupart des Parisiens rejoignent le reste de l'Europe par la route du Sud : c'est le mois où sont battus les records de bouchons à chaque péage, et des embouteillages de 45 kilomètres n'ont rien d'exceptionnel. Les moteurs chauffent, les passagers les plus âgés commencent à se sentir mal, les enfants réclament des boissons fraîches et les toilettes, et à son volant papa se dit qu'il aurait mieux fait de rester à la maison. Malheureusement pour lui et le reste de la famille, ce sont les mêmes embouteillages qu'il retrouvera sur la Côte, et de nouveau à la fin du mois, lors du chemin du retour, le même enfer se répétera.*

CI-DESSUS Nappes de brume sur le Lubéron. En 1977, une bonne part de la région est devenue parc régional, afin notamment de la protéger de l'épidémie immobilière, ce mal qui ronge le paysage sous la forme de villas habituellement construites en un béton d'un rose sinistre. Autre avantage de ce nouveau statut : il favorise l'environnement naturel. Curieusement, ceux qui crient le plus fort pour que soit préservé l'habitat des oiseaux et des animaux sauvages sont souvent les mêmes qui chaque hiver vont leur tirer dessus dans la montagne. Mais comme sait quiconque a tenté un jour d'interdire l'entrée de sa propriété à un chasseur déterminé, la chasse est un droit sacré. Tout ce qui est comestible est alors en danger. (C'est pourquoi on trouve tant de pies dans le Lubéron. En dépit de leur ingéniosité et de leurs audaces culinaires, les Français ne vont pas jusqu'à manger un oiseau qui a une alimentation aussi suspecte, et, à ma connaissance, il n'y a pas de recette pour accommoder la pie, que ce soit bouillie, rôtie ou en croûte.)

PAGE DE DROITE Tout comme les paysages, les ciels du Lubéron changent avec les saisons. L'été a ses nuages classiquement floconneux, ou les longs «cigares volants» décrétés indésirables à Châteauneuf-du-Pape. En hiver, les nuages prennent une densité et une blancheur exceptionnelles, et ils deviennent plus tenaces. Il faut plus d'une ou deux heures d'ensoleillement pour les dissoudre, et il y a des jours où ils sont si bas qu'on doit les traverser pour atteindre le haut des montagnes. Mais même le plus têtu des nuages ne peut résister à la force du mistral qui, malgré toutes les critiques que l'on peut lui adresser, apporte presque toujours avec lui un ciel bleu d'une parfaite pureté.

CI-CONTRE *La partie la plus sauvage du Lubéron, dépourvue de piscines, de pylônes électriques, de gens et de routes – à l'exception des anciennes pistes de muletiers. Les résistants venaient s'y cacher pendant la guerre, et les gens du coin suffisamment vieux pour savoir ce genre de choses disent que l'on peut encore trouver des caches d'armes dans les grottes et autres endroits secrets des versants les plus élevés. Les montagnes ont des noms bien révélateurs de leurs différences. Le Petit Lubéron, qui commence juste à l'est de Cavaillon, est moins élevé, moins sauvage, davantage peuplé, avec des villages comme Lourmarin, Vaugines et Cadenet au sud, Oppède, Ménerbes et Bonnieux au nord. Après Bonnieux, la montée est plus rude : c'est le Grand Lubéron, la population diminue, les panoramas s'élargissent. Du sommet, le Mourre Nègre, on peut contempler la totalité du Vaucluse.*

PAGE DE DROITE *La plupart des automobilistes pressés de rejoindre les villages les plus connus du Lubéron ralentissent à peine en traversant Robion, près de Maubec. La route principale est toute droite et n'offre rien de particulier – deux bars et une station d'essence. Mais si vous tournez en vous dirigeant vers le pied de la montagne, vous trouverez le vieux Robion – endormi et charmant, habituellement surveillé par deux ou trois vénérables résidents perchés sur le mur de pierres de la place. Tous les ingrédients traditionnels sont là : une fontaine à trois têtes en fonte, un rond-point avec six vieux platanes, un campanile avec une cloche datée de 1489, une église bâtie sur les vestiges d'une autre encore plus ancienne détruite en 1215 par Guillaume des Baux, et ce sentiment d'intemporalité qui baigne un village où il ne s'est pas passé grand-chose depuis des lustres.*

*CI-DESSUS L'hiver est bref en Provence, et souvent d'un froid
coupant. Les champs virent du vert au brun, tandis que l'on y
constate la disparition d'une silhouette familière – celle du paysan
qui est là, au printemps, en été et en automne, pratiquement sur
chaque parcelle cultivée, du petit matin au coucher du soleil.
Ordinairement, il y travaille, mais on le surprend parfois
à simplement regarder, méditer. J'aime à penser qu'il savoure alors
les beautés de la nature, mais je le soupçonne d'être plutôt en train
de calculer le prix de revient de ses engrais. En hiver, il disparaît,
et les champs, comme celui-ci près de Maubec, sont déserts. Mais
il reviendra, une semaine ou deux avant que nous autres ayons
compris que le printemps s'annonce déjà.*

CI-DESSUS *Maubec est un village important pour mes voisins.
C'est là que se trouve la coopérative locale, où ils apportent leurs
raisins afin d'en faire le côtes-du-lubéron, rouge et rosé, toujours si
léger et agréable à boire. Ici, même l'architecture vous parle du vin.
Il y a dans le village une porte merveilleuse, dont l'encadrement est
taillé dans la pierre; elle ressemble à beaucoup d'autres, sauf
lorsque vous regardez sa partie inférieure, vous vous apercevez
qu'elle a été élégamment arrondie et légèrement élargie pour
permettre le passage d'une barrique.*

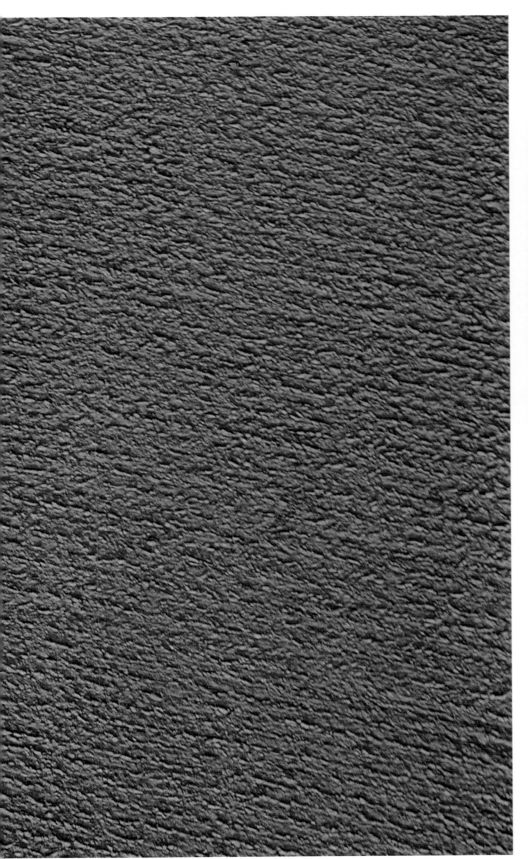

CI-DESSUS *Les cerisiers du Lubéron produisent chaque année des milliers de tonnes de fruits – et presque autant de problèmes pour le paysan. Contrairement aux raisins, qui ont leurs degrés d'alcool, leurs cépages, leurs appellations, les cerises ne sont pas « contrôlées ». Elles ne bénéficient pas de la mystique qui auréole le raisin. En conséquence, leur prix au kilo est bas, et les salaires de la cueillette encore plus bas – trop bas, dans la plupart des cas, pour tout travailleur qui se respecte. Le paysan est donc obligé d'embaucher des saisonniers, souvent italiens ou espagnols, ou même – à contrecœur et avec moult réserves – des gitans. Ils viennent avec leurs caravanes, sous l'œil méfiant de leur employeur, qui les soupçonne de vouloir partir une nuit sans lune en emportant ses poules, ses chiens de chasse, sa vieille camionnette, et Dieu sait quoi encore. Tout cela n'est guère engageant – ce qui explique peut-être en partie que la culture de la cerise soit en perte de vitesse.*

CI-CONTRE *Vous en voyez partout dans le Lubéron, adossés au pied d'une colline, posés au milieu d'un champ ou au bord d'une route, et souvent, sur l'un des murs, une réclame délavée vous invite à manger du chocolat Menier ou à boire de la Suze. Ces cabanons de pierre servaient autrefois d'abri ou de remise pour les outils agricoles. La mécanisation les a rendus obsolètes, et un pernicieux impôt affecté à tout cabanon muni d'un toit a poussé nombre de paysans à les démanteler pour en revendre les tuiles. J'en ai vu beaucoup, de ces boîtes de pierre sans couvercle, et, à moins que les portes aient elles aussi pris le chemin du toit, elles sont invariablement fermées.*

*CI-DESSUS ET PAGE DE DROITE Gordes – l'Acropole de la Provence,
le Saint-Germain du Sud – est le village le plus photographié du Lubéron
et, disent certains, le plus à la mode. Il est magnifiquement situé en haut
d'une colline. De vastes panoramas s'offrent à vous, particulièrement
au sud, vers les couleurs changeantes du Petit Lubéron. Les bâtiments
y sont mieux que préservés : ils sont intacts. Les autorités locales veillent
à l'unité architecturale avec un zèle exceptionnel. Vous devez construire,
ou restaurer, en pierre de taille. Votre toit (vieilles tuiles obligatoires)
doit respecter un degré précis d'inclinaison. Vos fenêtres ne peuvent
dépasser une taille déterminée. Et malgré toutes ces réglementations
(coûteuses) et bien d'autres encore, impossible de trouver à Gordes
quelque ruine inoccupée, car le village a été entièrement restauré.
Longue histoire que la sienne. L'homme du néolithique habitait déjà*

*les alentours. Plus tard, en temps de guerre, on allait s'installer au
sommet de la colline : on redescendait par temps de paix. Au cours
des siècles, une tradition de résistance s'affirma – contre les barbares,
contre le féroce baron des Adrets (qui fit pendre un jour, dans un accès
de fureur, 17 moines), et plus récemment, contre l'armée allemande.
En août 1944, celle-ci dynamita une vingtaine de maisons et fusilla
à peu près autant de personnes, en représailles contre les maquisards.
Après la guerre, le village fut décoré de la croix de guerre.
Les invasions continuent, mais les appareils photo ont remplacé les
fusils, et, en août, Gordes n'est pas précisément l'endroit rêvé pour
le solitaire. Mais allez-y quand même, au petit matin, ou le soir, lorsque
le soleil commence à décliner et donne au village sa couleur de miel.
Vous ne l'oublierez pas.*

CI-CONTRE Le genre de petit bout de terrain cultivé, comme celui-ci près de Gordes, qui vous repose un peu de la sempiternelle ligne droite – non sans avoir probablement agacé son propriétaire tandis qu'il louvoyait avec son tracteur autour de ces arbres plantés au hasard. Mais il en faut davantage pour décourager le paysan provençal, et vous tomberez souvent sur d'incroyables parcelles de terre, dans des endroits quasi inaccessibles, qui sont entretenues avec autant de soin qu'un parterre de fleurs dans une banlieue résidentielle.

PAGE 69, CI-DESSUS ET PAGE DE DROITE Au départ, le village s'appelait Minerva; ce qui donna ensuite Manancha, et maintenant Ménerbes – Menerbo, en provençal. Le premier résident de marque fut saint Castor, au IVe siècle. D'autres suivirent, moins vertueux, comme le chef des brigands Pierre de la Vache, ou Karl de Rantzau, qui fut impliqué dans le meurtre de l'amant de la reine de Danemark.

Perché sur une colline tout en longueur, Ménerbes est parfaitement situé pour repousser les visiteurs indésirables – comme durant les guerres de Religion du XVIe siècle. En 1573, les protestants en chassèrent les catholiques, et le village devint une épine plantée au flanc des possessions du pape. Quatre années passèrent avant que les catholiques soient prêts à les affronter, mais, en 1577, ils parvinrent à réunir de colossales forces anti-Ménerbes : six régiments provençaux, un régiment corse, trois régiments du pape, 1 200 cavaliers, 800 sapeurs et 16 canons, en tout plus de 12 000 hommes. Selon les mots d'un historien, «une invincible armada, contre le seul petit bateau de Ménerbes». Quand l'attaque fut lancée en septembre 1577, les troupes du village résistèrent à un contre dix, mais ce n'est qu'en décembre 1578 que le village finit par capituler, après le plus long siège des guerres de Religion. La bataille était perdue, mais l'honneur était sauf.

Aujourd'hui encore, certains vous diront que les gens de Ménerbes n'ont pas complètement perdu leur mentalité d'assiégés. Ils ont localement la réputation d'être «fermes», d'une politesse distante, moins accueillante que dans les villages voisins plus importants, et peut-être plus cosmopolites, comme Gordes et Bonnieux. Je ne pense pas que cela soit entièrement vrai, mais je me souviens effectivement d'un Ménerbien me parlant d'un habitant de Villars comme d'un «estranger», car il avait le malheur de vivre dans ces déserts lointains qui s'étendent là-bas, à 20 kilomètres de l'autre côté de la nationale 100.

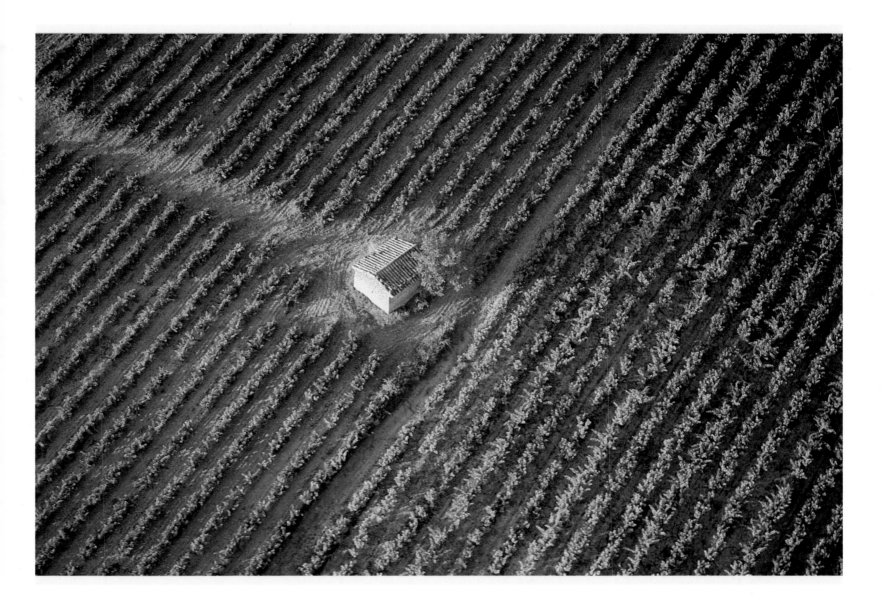

PAGE DE GAUCHE L'une des nombreuses carrières creusées dans les collines et les montagnes du Vaucluse, qui ont fourni en pierres de toutes sortes des générations de maçons. Il y a la pierre de Ménerbes et la pierre de Lacoste – poreuse, friable, dont la couleur crème se change avec les années en gris tendre ; il y a la pierre de Tavel – lisse et compacte, dont les blocs à peine taillés ressemblent à des caramels ; il y a la roche d'Espeil, dure et couleur sable, qui provient de la carrière en altitude entre Bonnieux et Lourmarin, dont le panorama vous donnerait presque envie de vous y faire embaucher. Ailleurs, on utilise le bois, l'acier ou le plastique : ici, c'est la pierre – pour les murs, les sols, les tables et les bancs, les éviers et les baignoires, les étagères et les plans de travail. Pas étonnant que les meilleurs maçons, ceux qui ont en eux un petit talent de sculpteur, aient toujours du travail.

CI-DESSUS Panorama sur le côtes-du-lubéron avant sa mise en bouteille. Certains des meilleurs vins locaux proviennent de clos vénérables, comme le Château de l'Isolette, où la famille Pinatel œuvre depuis cent ans, ou encore le Château La Canorgue, qui date du XVIe siècle. D'autres – Château Val-Joanis, Château La Verrerie – sont d'origine plus récente, tout rutilants de leurs équipements modernes, et qui produisent d'excellents vins, et d'une élégance qui n'a rien à voir avec le Lubéron ordinaire d'il y a vingt-cinq ans.

CI-DESSUS ET PAGE DE DROITE Roussillon n'est pas un village qui se cache modestement dans le panorama. Contrairement à ses voisins, il est rouge. Ou rose. Ou orange. Ou couleur rouille. Ou un mélange des quatre – cela dépend du moment de la journée et de la luminosité. Capitale française de l'ocre, il en produisait jusqu'à 35 000 tonnes par an. Mais pourquoi donc ces couleurs inattendues dans un environnement marqué par la pâleur du calcaire ? Il y a deux explications. L'une est savante, géologique. L'autre est une histoire d'amour et de vengeance : c'est la légende de Sermonde.

Épouse d'un seigneur du lieu, Sermonde eut l'imprudence de prendre un amant, Guillaume de Cabestan. Son mari le découvrit, mais, au lieu d'aller consulter un avocat d'Avignon, il tua l'amant. Non content de cela, il lui arracha le cœur qu'il accommoda en ragoût qu'il servit à la belle sans défiance. L'histoire ne dit pas comment celle-ci découvrit la composition du plat ; toujours est-il qu'après en avoir mangé, elle alla se jeter du haut d'une falaise près du village. Son sang se répandit sur les roches alentour, et l'industrie de l'ocre était née.

*CI-DESSUS ET CI-CONTRE Traversant le Lubéron du nord au sud,
vous laissez derrière vous les rochers et les ravins pour pénétrer dans
une campagne au relief moins sauvagement accidenté. Les alvéoles vertes
et le lac jaune blé qu'on voit ici sont des champs du pays d'Aigues.
La contrée est idéale pour faire de la bicyclette, moins pénible pour les
jambes et les poumons que les routes de l'autre côté de la montagne, et bien
fournie en villages, autant de haltes où se rafraîchir. Parvenu à Lourmarin,
par exemple, vous aurez bien du mal à repartir. Au dernier comptage,
le village n'avait pas moins de onze bars et restaurants. (L'un d'eux,
La Ferrière, vous offre même l'une des meilleures cuisines que l'on puisse
trouver de chaque côté du Lubéron.)*

CI-DESSUS Apt n'est pas seulement la capitale du Lubéron, mais également, selon une remarquable brochure municipale, la capitale mondiale des fruits confits – ces délicieuses friandises un peu collantes qui font leur apparition après chaque repas de Noël. Vous les trouverez, en compagnie de tout ce que vous pouvez imaginer en matière de nourriture, sur le marché du samedi matin, à l'heure où Apt subit son invasion hebdomadaire. (La ville a connu bien des invasions, dont celle des Goths. Aujourd'hui, les réfugiés en provenance de Saint-Germain-des-Prés et de l'avenue Foch sont appelés les «PariGoths».)

*CI-CONTRE Le printemps, aux alentours d'Apt.
C'est le moment de l'année où un jeune homme
commence à se dire, probablement un peu
à contrecœur, qu'il va falloir labourer, planter,
semer, et faire des journées de dix heures sur
le tracteur. On se plaint souvent du prix des
produits : peut-être changerait-on d'avis après
avoir vu tout ce que suppose le fait de trouver
sur le marché quelque chose d'aussi simple qu'une
grappe de raisin. Par tous les temps, de longues
heures à le soigner, à le bichonner durant des mois
entiers, tout le travail de la cueillette, et
constamment, chaque année, le fait de savoir que
la nature peut vous jouer un sale tour à chaque fin
de saison : gelées de printemps et orages de grêle,
ou moussons d'automne. Le paysan est
traditionnellement pessimiste : on le comprend.*

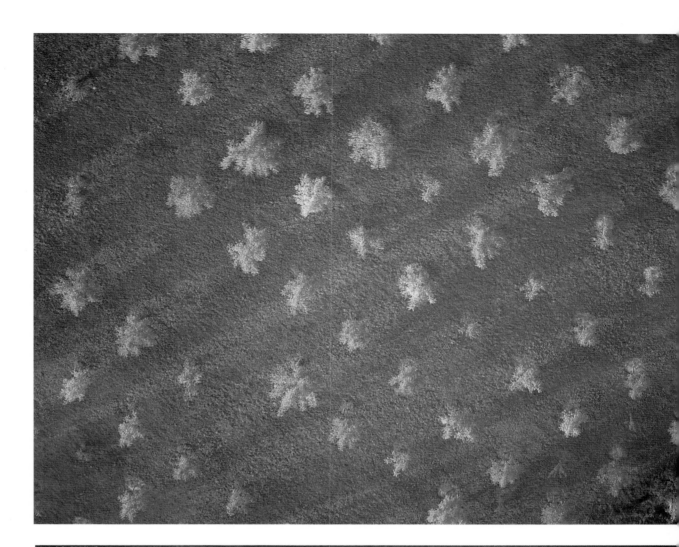

CI-DESSUS L'observatoire de Haute-Provence, au sud de Forcalquier. De là-haut, on a facilement l'impression qu'il n'y a rien entre vous et le bout du monde, si ce n'est des vagues successives de montagnes bleues. Je me suis souvent posé la question : qu'observe-t-on exactement depuis ce genre de nid d'aigle ? Les étoiles ? Les orages du mois d'août ? Le temps qu'il fera demain ? Le scientifique y exécute sûrement un travail de haut niveau. Pour les profanes que nous sommes, l'observatoire offre la chance d'écouter le silence et de jouir d'une vision exceptionnelle de la Provence.

PAGE DE DROITE Le barrage de Busses, construit sur le Verdon près de Gréoux-les-Bains. Les bains sulfureux de Gréoux sont connus depuis l'Antiquité, quand les Romains venaient y soigner leurs rhumatismes et se reposer de leurs campagnes contre les Gaulois. On y trouve un modeste monument, daté de 126 après J.-C. et dédié aux nymphes de la source, et l'on raconte que la sœur de Napoléon vint un jour s'y baigner. L'endroit est toujours fréquenté, bien qu'il y manque l'atout supplémentaire d'un grand restaurant comme celui qui fait d'Eugénie-les-Bains une station thermale quatre étoiles.

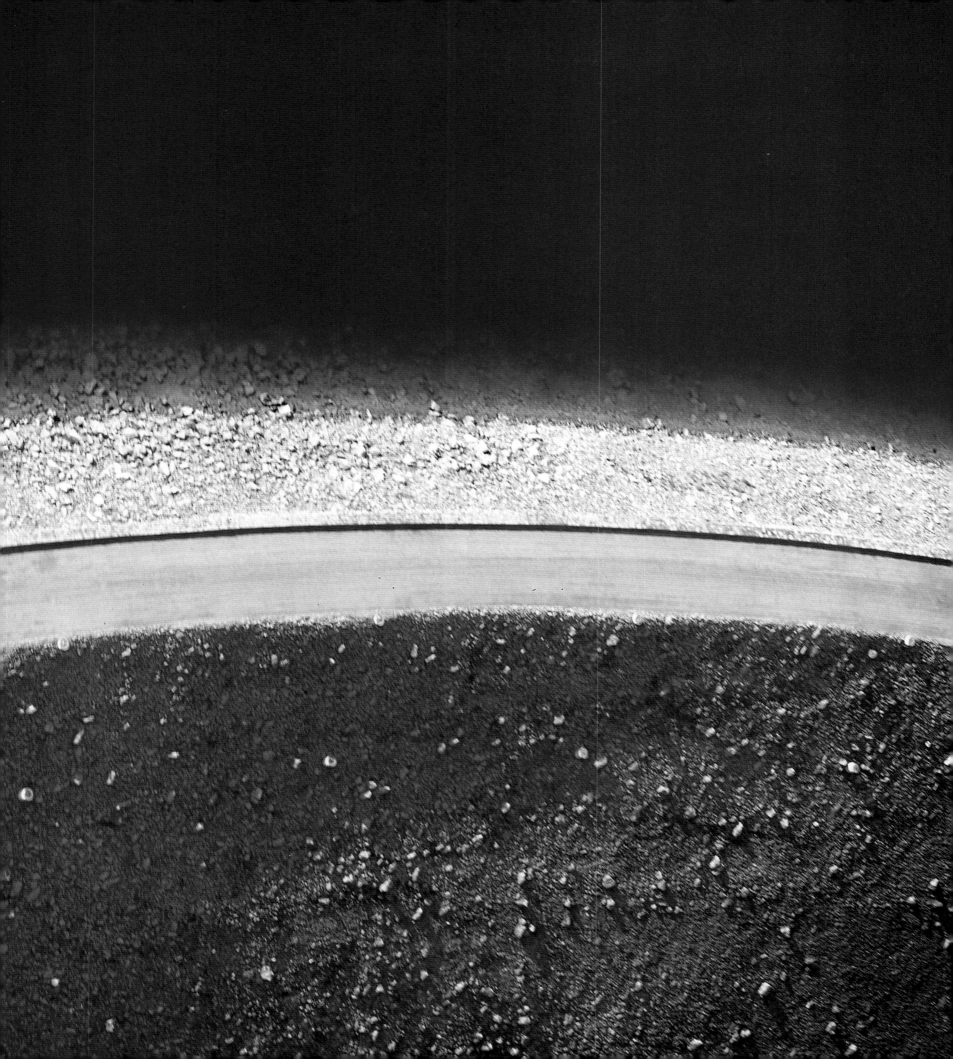

CI-DESSUS Bateau pneumatique – ressemblant plutôt à un poisson plat hypermoderne – sur la surface lisse du lac de Sainte-Croix. Optimiste incorrigible, le pêcheur est par tempérament aux antipodes du paysan, et il est plus facilement satisfait. Il peut passer toute une journée à ne rien voir, à ne rien prendre, sans que le moindre frémissement vienne troubler sa canne et sa ligne – et rentrer chez lui parfaitement heureux. Peut-être n'est-il aucunement là pour prendre du poisson, mais plutôt pour échapper aux servitudes ménagères ou à un long dimanche dans une voiture surchauffée, en compagnie de belle-maman. Je me souviens d'avoir vu deux pêcheurs sur les bords de la Sorgue, avec leurs cannes et tout l'équipement, mais qui, dos tourné à la rivière, regardaient un match de football sur une télévision portable. C'était l'image d'un bonheur parfait.

PAGE DE GAUCHE L'immense lac du barrage de Sainte-Croix, qui vous paraîtra d'autant plus beau si vous l'abordez par le sud-est, après avoir traversé le Grand Plan de Canjuers. Rude pays que celui-là, rendu encore moins accueillant par les convois de véhicules verdâtres conduits par des jeunes gens à l'air sinistre, presque dépourvus de cheveux, et qui semblent à la recherche de la Troisième Guerre mondiale. L'armée française a fait de cette partie de la Provence un immense champ de manœuvres, et quand vous le traversez en voiture, vous ne pouvez vous empêcher de penser que vous feriez une cible parfaite pour quelque chef de tank en mal d'exercice de tir.

CI-CONTRE *Village amarré au bord du lac. À moins d'habiter sur la côte, où l'on dit que la moindre fenêtre donnant sur la mer coûte un million de francs, les panoramas aquatiques sont rares en Provence. De toute façon, l'eau n'est pas simplement quelque chose qu'on regarde : il faut aussi savoir la respecter, la protéger, l'utiliser. Bien que Manon des Sources soit partie depuis longtemps, et que l'eau coule maintenant du robinet, les querelles entre voisins, voire entre familles, continuent de s'alimenter à tel ou tel acte de malveillance, réel ou imaginaire, survenu il y a trois générations, quand l'eau fut détournée de son site normal (ma propriété) pour être acheminée illégalement ailleurs (votre propriété).*

CI-CONTRE *La version
française du Grand Canyon
américain, à laquelle on a
donné le nom pas très original
de... Grand Canyon
(du Verdon). Il était resté
pratiquement inconnu jusqu'au
début du siècle, sauf pour les
habitants de la région qui y
voyaient un endroit où vous
étiez quasiment sûr de
rencontrer des démons ou
de dangereux sauvages. Mais
quand le reste de la France
en fit la découverte, le Grand
Canyon fut élevé au rang
de monument national.
Et il le mérite – 5 kilomètres
de long, des endroits
à 1 500 mètres de hauteur
(ou de profondeur) sur
700 mètres de large, ce n'est
pas un paysage pour les
amateurs de lieux gentillets
et confortables. L'un des plus
beaux panoramas est celui
qu'on a du Point Sublime,
où est apposée une plaque
commémorative de l'audacieux
Édouard Martel, à qui l'on doit
d'avoir attiré sur le canyon
l'attention du public il y a près
de quatre-vingt-dix ans.*

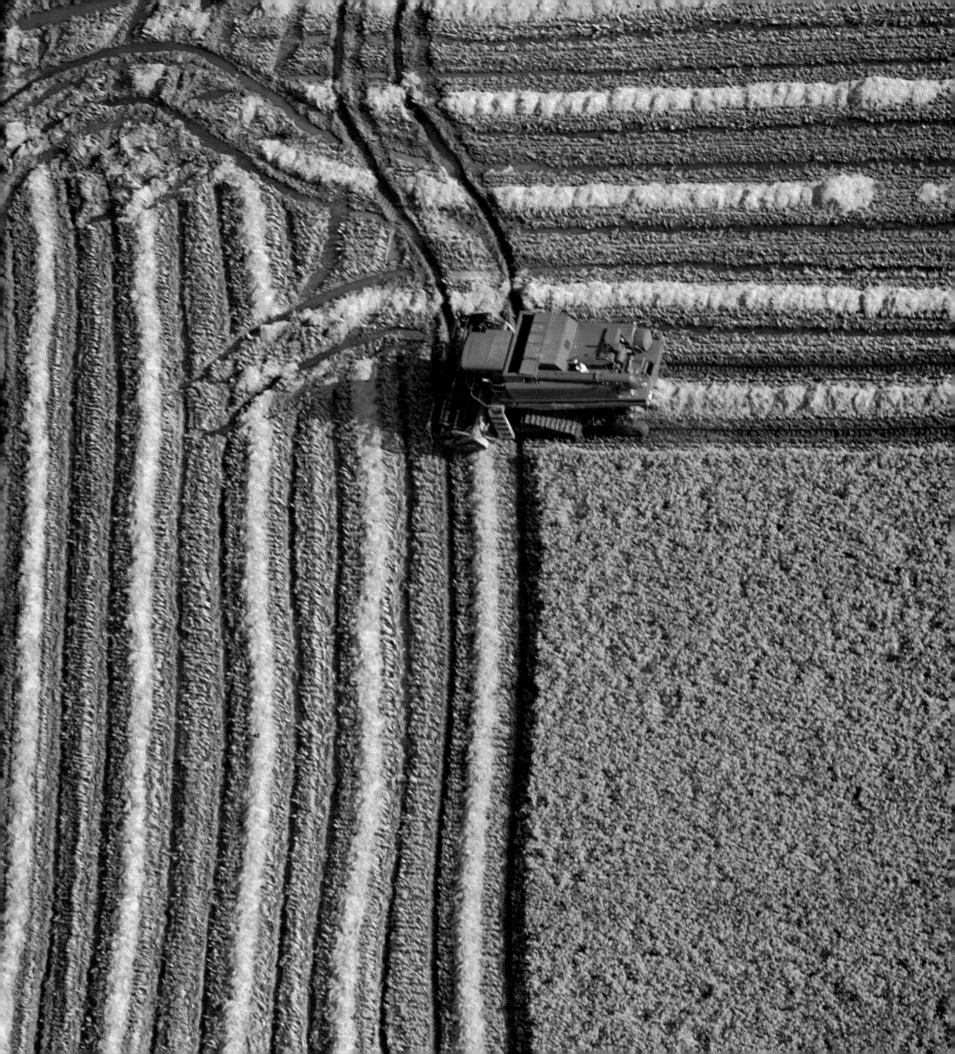

le SUD-OUEST

*Du pont du Gard à Aigues-Mortes
et à la Camargue*

CI-CONTRE ET CI-DESSOUS *Le pont du Gard, le plus*
célèbre de la Provence après celui d'Avignon, fut édifié
vers 19 avant J.-C. sous la direction d'Agrippa,
gendre d'Auguste. Il témoigne non seulement du génie
des constructeurs romains, mais également de leur foi
dans la pérennité de l'Empire. (La structure du pont
comporte des points d'appui pour des échafaudages,
à utiliser tous les deux mille ans environ ou en cas
de réparations indispensables.)
La plus basse des trois rangées d'arches a été adaptée
pour servir de route, mais si la traversée en voiture vous
paraît trop banale, rien ne vous empêche de prendre
le petit passage situé tout en haut, sur toute la longueur
du pont. Mais rappelez-vous qu'en cas de malheur,
50 mètres en chute libre suffiront à mettre un terme
définitif à votre fringale de visites historiques.
Le passage n'est pas protégé. Et le mistral a la fâcheuse
habitude d'emporter les gens comme des fétus de paille.
Tout compte fait, on peut préférer s'inspirer de Pagnol
et aller admirer l'édifice tout en pique-niquant.

CI-CONTRE Si vous êtes en quête du temple romain
le mieux conservé du monde, de la patrie ancestrale
de plusieurs millions de paires de blue-jeans et de
quelques corridas un peu sérieuses, allez à Nîmes,
et vous trouverez.

La ville fut d'abord une colonie pour vétérans
romains de la conquête de l'Égypte (d'où les
armoiries de la ville, un crocodile enchaîné à un
palmier), et, comme d'habitude, constructeurs
et ingénieurs se mirent au travail. Des kilomètres
de remparts, un amphithéâtre de 24 000 places,
des canalisations d'eau, et bien sûr, le temple,
la Maison Carrée actuelle, qui fit une telle
impression sur Thomas Jefferson qu'il le prit comme
modèle du Capitole de l'État de Virginie.

Nîmes connut ensuite la célébrité avec la fabrication
et l'exportation de ses textiles — notamment la serge
de Nîmes, qui attira l'attention d'un certain Levi
Strauss, citoyen de Californie. On connaît la suite…
Pour des articles plus élaborés, essayez donc d'être
à Nîmes au moment où les toreros arrivent en ville —
en février, à la Pentecôte ou en septembre. Il y a de
la musique dans les rues, les cafés sont ouverts toute
la nuit, et souvent le vin coule à flots jusqu'à l'heure
du petit déjeuner.

CI-DESSUS Le Rhône et ses flocons d'écume, longeant un petit bout d'île près d'Aramon. L'une des gloires naturelles de la France (comme tout Français se fera un plaisir de vous l'apprendre), le Rhône, est en fait un produit helvétique. De sa source en Suisse, dans les Alpes du Sud, jusqu'à son embouchure méditerranéenne, la distance parcourue – selon les spécialistes – est de 810 kilomètres. Soit plus de deux fois la longueur de la Tamise, ainsi que me l'a perfidement affirmé un ami français un brin patriote.

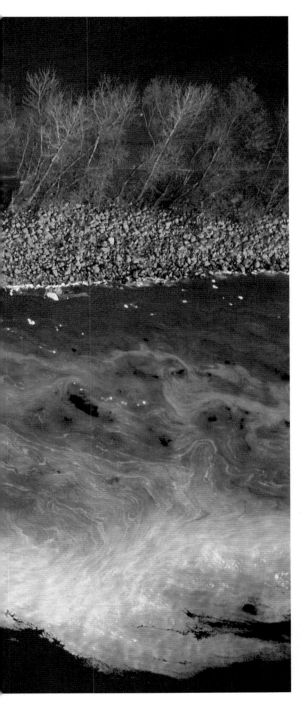

CI-DESSOUS *Le cimetière de Barbentane, sur les pentes de la Montagnette*
entre Avignon et Tarascon. Le marché du village est La Mecque locale
de l'aubergine, ce légume à la couleur superbe, dont on fait une savoureuse
spécialité provençale – le caviar d'aubergine. Le château, construit en 1674
et qui eut la chance d'échapper aux destructions de la Révolution, vaut
lui aussi le détour. Vous y verrez un mobilier datant de la grande époque
des deux Louis, XV et XVI, ainsi que quelques platanes tricentenaires
– ils furent plantés au XVIIe siècle.

CI-DESSUS Ce champ, près
de Saint-Rémy, est comme
un lavis de lumière vespérale.
Pour beaucoup de gens (dont
les photographes), c'est
le meilleur moment de
la journée. La lumière est plus
douce, la fournaise de midi se
change en chaleur agréable,
chacun quitte son travail, et les
cafés commencent à se remplir
d'hommes qui se mettent
à l'aise et goûtent la fraîcheur
du premier pastis de la soirée.
Tout à l'heure, ils rentreront
dîner chez eux et fermeront
probablement leurs volets
sur un spectaculaire coucher
de soleil pour regarder
la télévision.

PAGE DE DROITE Nostradamus est né ici, et Van Gogh,
au cours d'une année étonnamment créatrice, y réalisa
environ deux cent cinquante peintures et dessins.
Avec les Alpilles à l'arrière-plan et les vestiges romains
de Glanum juste au-dessus de la route, Saint-Rémy-
de-Provence n'est pas une ville à visiter rapidement.
Bien sûr, il y a un arc de triomphe, un des premiers
construits en Provence. Dans l'église Saint-Martin,
il y a un orgue parmi les plus beaux du monde,
et chaque mois d'août un festival de musique d'orgue.
Il y a des palais Renaissance, un musée archéologique,
l'asile où Van Gogh passa son année, des expositions
artistiques, et pour rafraîchir le touriste épuisé, deux ou
trois cafés bien placés sur la rue principale, d'où vous
pourrez voir les estivants à la mode se cachant derrière
leurs lunettes de soleil pour faire leurs courses.

*CI-CONTRE Tarascon avec
le château du Roi est un lieu
hanté par un monstre
mémorable, la Tarasque. C'est
ainsi que l'on nomme cet être
amphibien mi-lion mi-crocodile
qui avait pour habitude
d'émerger du Rhône pour
terrifier et parfois dévorer les
autochtones. Au XVe siècle,
le bon roi René – un autre
habitant connu mais plus
aimable cependant – répandait
sa bienveillance d'Aix
à Tarascon. Lui et sa femme,
la reine Jeanne, ont leur buste
commémoratif dans la cour
intérieure du château.*

CI-CONTRE ET CI-DESSUS Demandez aux gens pourquoi ils vont en Arles, et vous obtiendrez une douzaine de réponses différentes : Van Gogh, les plus jolies femmes de France, le saucisson d'âne, les corridas dans l'amphithéâtre romain, un marché du samedi parmi les plus animés de Provence, l'exposition internationale de photographie, les musées – faites votre choix, et prenez votre temps. Arles peut donner l'impression d'être nonchalante dans la fournaise de l'été, mais elle n'est certainement pas endormie. Ce fut autrefois un port, et un centre commercial pour les Grecs du VIe siècle venus de Marseille pour traiter avec les Ligures. Plus tard, les vétérans de la 6e légion s'y installèrent, et Arles prospéra, célébrant sa réussite à la manière romaine – temples, arcs de triomphe, bains... Certains de ces monuments sont toujours là. Et croyez-le ou non, le saucisson d'âne, c'est très bon.

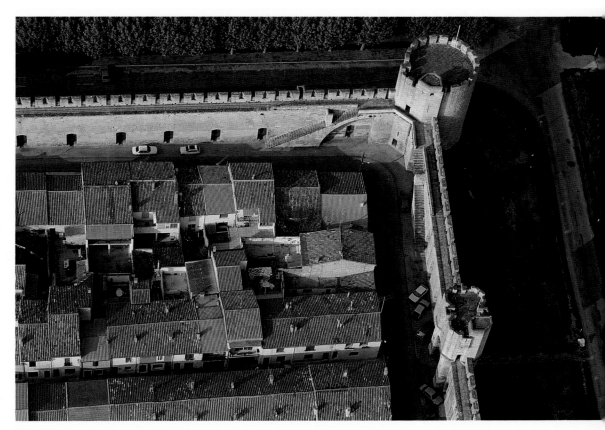

CI-DESSUS Située maintenant au milieu des terres, la ville rectangulaire d'Aigues-Mortes fut
autrefois un port. Saint Louis, et une flotte de plus de mille navires, y appareilla pour la 7ᵉ croisade.
Mais Aigues-Mortes avait un nom prémonitoire, les « eaux mortes » : la mer se retira, et la ville perdit
de son influence. Il fallut donc trouver une nouvelle utilité à ce lieu. La fameuse tour de Constance,
à l'un des angles de l'enceinte murale – 1 600 mètres de long –, servit des siècles durant de prison
à de nombreux personnages historiques : Templiers, grands seigneurs rebelles, huguenots...
Henry James, qui visita la Provence en nous léguant au fil de la plume des descriptions parfaites,
disait d'Aigues-Mortes qu'elle ressemble à un « billard sans poches ».

CI-CONTRE Il y a un millier d'années, la Provence commençait à se remettre des attentions
désagréables dont elle avait été l'objet de la part des Sarrasins. On pouvait enfin prendre le temps
de construire ou restaurer abbayes et monastères, et personne n'était plus qualifié dans ce domaine
que saint Mayeul, à qui l'on doit d'innombrables églises de campagne et plusieurs abbayes. Celle de
Montmajour (ci-contre), avec son cloître superbe, inspira particulièrement Van Gogh : dans une lettre,
il y voit passer au clair de lune chevaliers et belles dames, et troubadours. S'il existe encore des
demoiselles, c'est le genre d'endroit où vous pourriez en trouver.

PAGES 98 À 101 La Camargue est en Provence l'un des
endroits les plus curieux – comme une enclave exotique qui
fait davantage penser à un pays à part qu'à une partie
de la Provence. La terre en est plate et marécageuse, et
on n'y retrouve pas les traditionnelles étendues de vignes,
de lavande et d'arbres fruitiers. Quant à ses habitants,
ils sont tout aussi singuliers. La Camargue est la résidence
secondaire de milliers de flamants roses, qui y font une pause
venant d'Afrique, et la demeure permanente de chevaux
blancs, de taureaux, d'une remarquable variété d'oiseaux
aquatiques, et l'été, des moustiques les plus agressifs qu'on
puisse rencontrer en France.

Et puis il y a les «cow-boys». Au XVIIᵉ siècle, la noblesse
terrienne acheta des terrains en Camargue et y installa des
ranches, où on éleva des chevaux et du bétail capable de se
contenter d'une herbe salée plutôt indigeste. Les gardians
furent chargés de la surveillance, et ce sont leurs descendants
que vous pouvez encore voir aujourd'hui, avec leurs

chapeaux de cow-boy, leurs pantalons de cuir et tout le reste.
(Selon une hypothèse fièrement avancée par les gens du coin,
les premiers vrais cow-boys d'Amérique seraient venus
de Camargue afin de montrer aux colons de la Louisiane
comment s'y prendre avec leurs troupeaux de vaches.
Comme quoi, si la Louisiane était restée française, c'est elle
qui aurait incontestablement produit le premier hamburger
d'appellation contrôlée.)

Grand moment de l'année en Camargue : le mois de mai,
où pendant deux jours des gitans venus du monde entier
se réunissent pour rendre hommage à Sara, leur sainte
patronne. La petite ville des Saintes-Maries-de-la-Mer
regorge alors de caravanes, et le 25 mai, les châsses sacrées
sont descendues jusqu'à la mer. D'autres fêtes moins
religieuses font intervenir des danses, des courses de taureaux
et la consommation de la spécialité locale, le «bœuf gardian»,
une daube au vin rouge, avec suffisamment d'ail pour qu'un
moustique y réfléchisse à deux fois avant de vous attaquer.

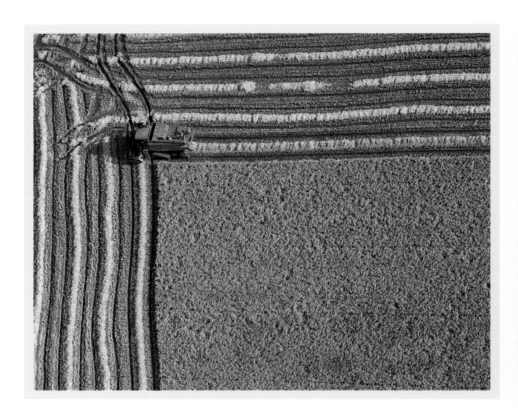

CI-DESSUS ET CI-CONTRE *Sur la rive ouest du Grand Rhône.*
Le fleuve sépare le territoire des gardians de la partie orientale
de la Camargue, à laquelle seul un industriel peut trouver
des charmes. Vous y rencontrerez des endroits comme Fos,
parsemés d'usines et où le bruit des machines recouvre tout.

CI-CONTRE ET PAGE DE GAUCHE Comme les moines l'avaient déjà compris au Moyen Âge, la grande ressource de la Camargue est le sel. On utilise aujourd'hui des méthodes d'exploitation modernes, et près de la moitié du sel produit en France est recueilli dans de gigantesques bassins comme ceux-ci, près de Port-Saint-Louis. Il s'agit là d'un sel sans pareil, réservé aux rois, aux présidents, et aux auteurs de livres de cuisine – de gros cristaux bien croustillants, qui fournissent un parfait accompagnement aux radis frais. Les «fleurs de sel» sont le nec plus ultra de la récolte – on peut en manger directement, parsemé sur du pain ; et avec des truffes fraîches, c'est un mets inoubliable.

CI-CONTRE Il n'y a pas que la terre qui offre ordre et méthode : il en va de même pour la mer, comme ici dans le golfe de Fos, où des pêcheurs méticuleux semblent avoir disposé leur matériel exprès pour le photographe. Alentour comme plus à l'est vers Marseille, les eaux offrent leurs fonds nourriciers aux poissons qui finiront sans doute leurs jours dans la bouillabaisse – ce plat à la puissance parfumée de safran, qui tient à la fois de la soupe et du ragoût, et qu'il faut déguster les manches de chemise relevées et une serviette autour du cou. Tout au long de la côte, vous assisterez à de vigoureuses discussions quant à savoir où se fait la meilleure bouillabaisse (forte concurrence entre Toulon et Marseille !) et ce qu'il faut exactement y mettre. Les Toulonnais y ajoutent des pommes de terre – une hérésie pour les puristes marseillais. Seul point d'accord : la bouillabaisse ne voyage pas. Il faut du poisson méditerranéen, et tout frais pêché. Autrement, ce n'est pas vraiment ça.

le SUD-EST

*D'Aix-en-Provence
et Marseille à Nice*

CI-CONTRE *Lambesc est
une jolie oasis de tranquillité
à l'écart de la route
immortalisée par Charles
Trenet et les statistiques de
Bison Futé : la nationale 7.
Avant la construction des
autoroutes, la «N 7» était
la voie royale vers les plaisirs
de la Côte d'Azur, et tout
automobiliste atteint de la fièvre
des vacances accomplissait des
miracles d'imprudence pour
atteindre la plage quinze
minutes avant les autres.
Ce qui avait inévitablement
des conséquences tragiques.
De toutes les routes de
Provence, la N 7 est, encore
aujourd'hui, celle qui demande
le plus de concentration et une
dose salutaire de courage,
surtout lorsque vous voyez
arriver en face un petit bolide
quasi aéroporté qui s'amuse
à faire des sauts de puce
(ou de grenouille) en dépassant
les voitures plus lentes.*

CI-DESSUS *Jour de marché à Rognes, au sud du Lubéron. En dépit de l'inexorable multiplication des grandes surfaces, le petit marché en plein air est loin d'être mort, et tant que les gens préféreront ses charmes à la banale efficacité de l'emballage plastique, il continuera à animer les places et les rues des villages. Faire son marché est un plaisir dont, très vite, on ne peut plus se passer*

– c'est convivial, agréablement bruyant, coloré et odorant. Vous pouvez butiner un peu partout, acheter une unique pêche, et observer la redoutable ménagère scrutant, avec une méfiance tout à fait injustifiée, un étal de tomates aux appétissantes rondeurs avant de désigner, d'un doigt impérieux, les plus aptes à agrémenter sa salade du soir.

CI-DESSUS *Les alignements impeccables de ces vignes au nord d'Aix n'annoncent en rien les inévitables tracas qui vous attendent au cas où vous voudriez devenir vigneron. Outre le choix de votre future propriété, il vous faudra en passer par tout un tas de paperasses – demandes, attestations et inventaires détaillés, suivis, si vous avez de la chance, d'acceptations et d'autorisations. Vous voulez remplacer vos vieux cépages syrah par du cabernet sauvignon ? Le gouvernement doit en être avisé. Formulaires à remplir, chiffres exacts à préciser – et un inspecteur viendra s'assurer que vous ne vous êtes pas trompé de colonne. Il n'en faut guère plus pour pousser un homme à boire !*

PAGES 111-112 ET CI-DESSUS Il y a quelque chose
de bizarre avec Aix. Vous y allez rempli de bonnes
intentions – le musée des Tapisseries, la cathédrale,
les palais et les églises – et vous avez un mal fou
à réaliser votre programme. Aix a en effet tendance
à vous distraire, avec son charme, ses cafés, sa
foule fascinante, ses senteurs séduisantes à midi,
et il faut être bien discipliné pour leur préférer les
œufs de dinosaure au musée d'Histoire naturelle.
Si tel est le cas, vous allez être fort occupé.
Aix commence avec les Romains, devient au
XIIIᵉ siècle la capitale des comtes de Provence, ouvre
son université en 1409 et prospère sous le règne
du bon roi René (personnage bien-aimé des Aixois,

notamment parce qu'on lui doit les fêtes populaires
et le raisin de muscat). Par la suite, centre du
gouvernement régional aux XVIIᵉ et XVIIIᵉ siècles,
Aix fut une ville de riches magistrats qui se bâtirent
de splendides demeures.
L'histoire a ainsi marqué la ville de ses empreintes,
élégantes le plus souvent et toujours intéressantes,
et vous pouvez passer des semaines à Aix sans
vous sentir aucunement en manque culturel.
Mais il faut également manger : pas de meilleur
endroit pour ce faire que la terrasse des Deux
Garçons (les « 2 G. ») un jour de soleil.
(Note historique : le décor date de l'Empire, et les
serveurs sont sans âge.)

PAGE DE GAUCHE À l'est d'Aix, plus proéminente que jamais après l'incendie de forêt qui a dénudé ses pentes, la montagne Sainte-Victoire domine ce qui est désormais universellement désigné comme le pays de Cézanne. Il en était littéralement obsédé : la montagne est honorée par plus de soixante de ses œuvres. Durant sa vie, qu'il passa presque tout entière à Aix, Cézanne était loin d'être le personnage révéré qu'il est aujourd'hui. Les Aixois faisaient des gorges chaudes de ses œuvres, et l'artiste pouvait leur répliquer vertement. Quand on lui demandait de montrer ses dernières toiles, la réponse était sans appel : «Je vous emmerde.» Voilà qui était parlé !

CI-DESSUS La côte près de Carry-le-Rouet, petite ville qui se distingue par l'organisation d'un étrange événement peut-être unique au monde. Chaque mois de février, vous pouvez participer au grand festival annuel de l'oursin et rendre hommage à cette friandise plutôt piquante avant de la déguster. Question curiosité, la seule manifestation gastronomique qui puisse – à ma connaissance – rivaliser avec celle-ci a eu lieu il y a quelques années à Bédoin, quand les villageois ont voulu entrer dans le Livre des records Guinness en confectionnant la plus grande omelette du monde – un chef-d'œuvre de mille œufs préalablement battus dans des bétonnières.

CI-DESSUS ET PAGES 117 À 125 *Marseille est la ville
française la plus ancienne, un des dix ports mondiaux
les plus importants, le bastion de la bouillabaisse
et du pastis, le pré carré traditionnel du banditisme,
la terre d'élection de la pétanque et la première étape
de milliers d'émigrés d'Afrique du Nord. Son savon
à base d'huile d'olive est réputé et elle s'est approprié
l'hymne national – bien que la Marseillaise ait été
en fait composée à Strasbourg. Vous pouvez dire ce
que vous voulez de Marseille, mais ce n'est pas une
ville triste. Tout commence en 600 avant J.-C., avec
les Grecs qui s'y installent et lui donnent le nom de
Massalia. La ville prospère immédiatement, et au
IIᵉ siècle avant notre ère, bénéficiant de son alliance
avec Rome, elle a cinquante mille habitants. C'est
alors que ses dirigeants font leur première grande
erreur : ils prennent le parti de Pompée, suscitant
ainsi la colère de César, qui s'empare de la cité.
Les siècles passent. Déclin puis chute de Rome, et
Marseille se retrouve livrée aux hordes de Goths,
Francs et autres Sarrasins ; le premier pillard venu
disposant d'une armée et rêvant de conquêtes ne peut*

*résister à l'idée de s'approprier le port. Ce n'est qu'au
XIᵉ siècle, quand les croisés eurent besoin d'une bonne
base de départ pour la Terre sainte, que les affaires
de Marseille commencèrent à s'arranger.
Durant les siècles qui suivirent, il y eut des hauts et
des bas – plusieurs sièges, une longue et désastreuse
querelle avec Louis XIV, une épidémie de peste, les
bouleversements de la Révolution et des chamailleries
avec Napoléon. Mais Marseille survécut, pour
rebondir avec l'ouverture du canal de Suez en 1869,
et ainsi jusqu'à aujourd'hui, où s'est perpétuée
l'importance de son rôle en France, même si la ville
est loin d'avoir les faveurs du pouvoir central parisien
– ce que lui rendent bien les Marseillais d'ailleurs.
La réputation de Marseille est mitigée, ou pire encore.
La récente guerre des cliniques n'a pas arrangé les
choses ; pas plus que la French Connection. Mais
il est très exagéré de dire qu'on risque sa peau à la
visiter. Comme à New York, il y a des endroits
à aborder avec précaution, d'autres dont il vaut mieux
s'abstenir, d'autres encore où le pire qui puisse vous
arriver est de ne pas parvenir à attirer l'attention du*

*serveur, comme sur le Vieux Port, qui est l'endroit rêvé
pour commencer et finir sa journée à Marseille.
Vous pouvez prendre votre petit déjeuner dans un café,
puis aller flâner au marché aux poissons, quai des
Belges. Du poisson frais à la tonne, et en prime les
boniments que vous débitent ces messieurs au tablier en
caoutchouc et aux mains écailleuses. Et le soir, vous serez
aux premières loges pour le coucher de soleil.
Quoi que vous fassiez dans la journée, il faudra prendre
le ferry qui va du quai des Belges au château d'If, qui est
avec celle de San Francisco la prison la plus pittoresque
qui soit. On n'y garde plus de prisonniers, mais certaines
des cellules ont reçu le nom de leurs occupants d'autrefois,
réels (Mirabeau) ou imaginaires (le comte de Monte-
Cristo). Et pour le réconfort des captifs et les délices du
visiteur : le spectacle de la ville jaillissant de la mer.
De retour sur la terre ferme, vous attend tout un fouillis
de ruelles et d'avenues aux styles multiples – gothique,
Renaissance, néo-byzantin, napoléonien, Arts déco –,
de bars miteux et de palais pompeux, aboutissement
(provisoire) de deux mille six cents ans d'habitat urbain.
Vous ne vous ennuierez pas.*

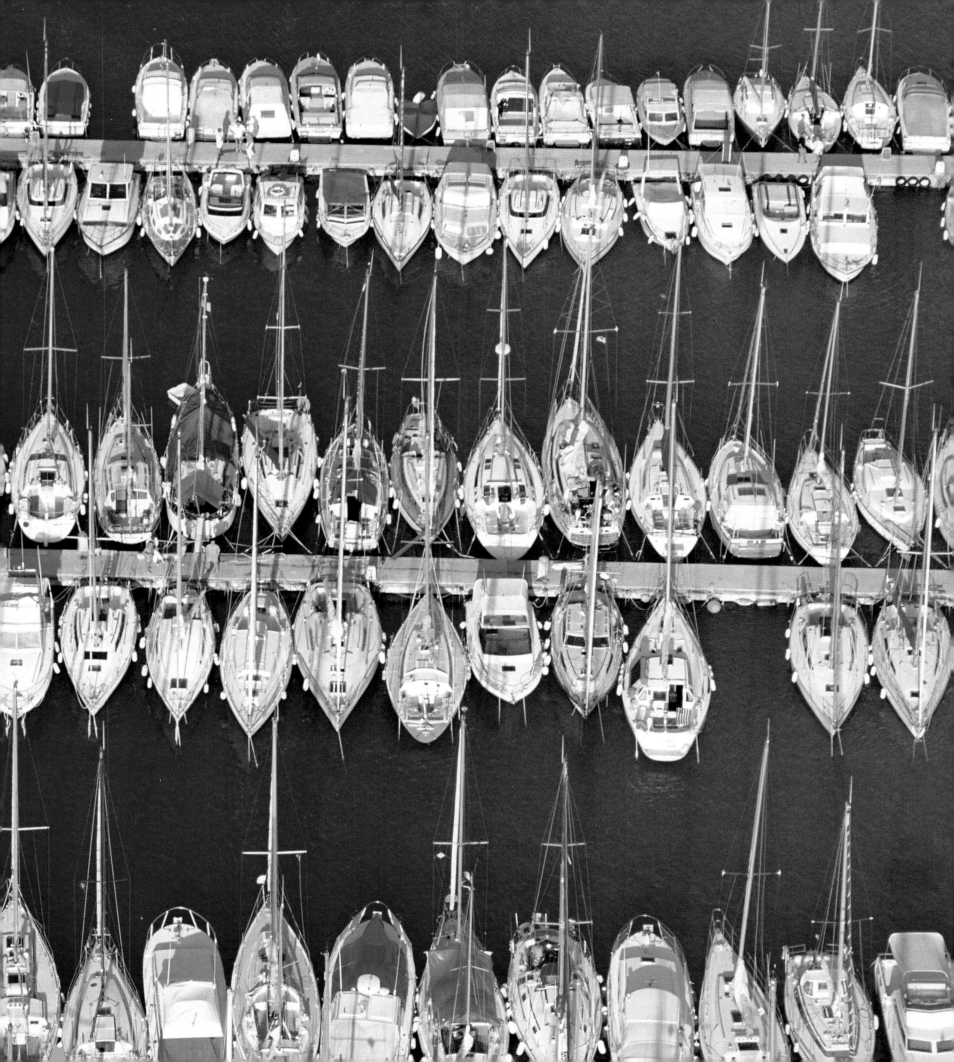

Si vous quittez le chemin du Roucas-Blanc et escaladez la colline jusqu'à ce que vos jambes vous demandent grâce, vous arriverez à la basilique de Notre-Dame-de-la-Garde. Après avoir repris votre souffle, vous pourrez apprécier la vue superbe sur Marseille. À cet égard, la meilleure place est celle de la grande Madone en or, de dix mètres de haut, juchée sur son piédestal.

PAGE DE GAUCHE Avec ses dômes, son ornementation de bandes colorées et, à l'intérieur, ses quatre cents colonnes de marbre qui supportent le poids de la toiture, voici la cathédrale de Marseille, Notre-Dame-de-la-Major, située à immédiate proximité des quais de la Joliette, le vaste port commercial de Marseille. Nous sommes dans Le Panier, le quartier le plus ancien de la vieille ville ; non loin de la cathédrale, vous y trouverez la Vieille Charité de Pierre Puget, un hospice construit au XVIIᵉ siècle pour recueillir les indigents, et qui pourrait rivaliser avec bien des palais. Il abrite aujourd'hui des expositions artistiques et le musée d'Archéologie méditerranéenne.

CI-DESSUS Chaque année, des articles de presse colportent une image de la côte méditerranéenne selon laquelle il n'y aurait plus un seul pouce de terrain entre Menton et la Camargue qui ne soit occupé ou pollué. Tout est déjà pris, nous dit-on, par les adeptes du bain de soleil (en maillot ou carrément nus), ceux du ski nautique, les restaurants et les cabanons, les marinas, les bateaux de plaisance, les amateurs de camping et les marchands ambulants de plage qui espèrent vous vendre des montres en plastique ou des bijoux bon marché. Il y a du vrai dans tout cela, mais aussi quelques belles exceptions. En voici une, à moins de 15 kilomètres du centre de Marseille, juste à l'est du cap Croisette. Mais il vous faudra un bateau.

PAGE DE GAUCHE ET CI-DESSUS *S'ils peuvent impressionner*
en termes de réussite technologique, certains aspects du progrès
n'en devraient pas moins être écartés dès le départ. Par exemple :
le scooter marin. Son bruit est une insulte à l'oreille humaine,
il rend probablement sourd le poisson, et les résidus d'essence
à la surface de l'eau transforment la baignade en plongée dans
l'horreur. On en voit un ici fendre les vagues au large du cap
Morgiou. Plus tard – même jour, même lieu – nous avons pu voir
un moyen plus propre, plus silencieux de se déplacer sur l'eau.

*CI-DESSUS ET PAGE DE DROITE Entre Marseille et Cassis, la côte
a été rongée par la mer, ce qui a donné naissance à une multitude
de petites criques rocheuses – tranquilles, solitaires et propres. Voici
donc les calanques, et si vous avez la chance d'avoir un bateau,
ou un ami qui en possède un, fini les plages et les restaurants
bondés : à vous l'un des plus grands plaisirs de l'été, le pique-
nique nautique. Pour une fois, la nourriture compte moins que
l'endroit. La Méditerranée vous sert de cave pour le vin, et entre
deux plats, vous pouvez vous rafraîchir en vous laissant glisser
dans l'eau, verre en main, tandis qu'on met la dernière main
au plateau de fromages. Il y a des façons bien moins agréables
de passer son temps quand il fait chaud.*

CI-CONTRE *Les calanques constituent une série de criques pittoresques le long de la côte entre Marseille et Cassis. Nombre d'entre elles ne sont accessibles que par la mer, mais le piéton astucieux parviendra toujours à trouver le sentier qui mène à ces jeux d'écume et de roches.*

PAGE DE GAUCHE, CI-DESSUS ET PAGES 138-139 *Tout le monde le dit : Cassis évoque le Saint-Tropez d'avant l'arrivée en force des gens chics et autres vedettes. Une grande différence quand même : la circulation automobile est interdite dans le centre, autour du port, si bien que les seuls bruits que vous risquez d'entendre à Cassis en bord de mer seront le claquement des voiles et le cliquetis des gréements, et non les grondements de moteurs surchauffés. Blotti entre les collines de calcaire à l'ouest et la masse imposante*

du cap Canaille à l'est, le port est presque trop joli pour être vrai. Blanches falaises, plages, petites rues, restaurants en front de mer (la spécialité de l'un d'eux est une ratatouille excellentissime, qui a la consistance d'une confiture épaisse) – Cassis possède tout cela, plus un vin blanc sec qui a obtenu son appellation contrôlée depuis près de soixante ans. Pour une initiation en bonne et due forme, se rendre aux caves du Clos Sainte-Magdeleine. Très peu en sortent sans avoir acheté une bouteille ou deux.

CI-CONTRE *La somnolente Brignoles, renommée pour ses prunes, ne figure pas sur la liste de la plupart des touristes, mais tout vrai amateur de choses bizarres se doit d'y passer quelques heures pour s'émerveiller devant les objets souvent extravagants du musée du Pays brignolais. On y trouve de quoi exciter l'intérêt d'un antiquaire, notamment «La Gayole», sarcophage chrétien du IIᵉ ou du IIIᵉ siècle. Mais on y trouve aussi des trésors qu'on ne rencontre guère dans des musées plus conventionnels. Ainsi un canoë en ciment, une maquette en bois de la cathédrale de Milan, une belette empaillée, et une charmante peinture représentant une dame en bateau accompagnée d'un cochon qui fume le cigare.*

CI-CONTRE Suivez la route au premier plan, et vous aboutirez à Cannes, pare-chocs contre pare-chocs en compagnie de milliers d'autres automobilistes. En revanche, si vous tournez en direction du sud, vous allez vous retrouver dans les forêts tranquilles et verdoyantes du massif des Maures. C'est le pays du châtaignier et du chêne-liège. Le bambou y pousse également, ainsi qu'un arbuste dont les fortes racines sont utilisées pour la fabrication des pipes de Cogolin. Les amateurs de châtaignes feront une petite halte sympathique à Collobrières pour s'acheter des marrons glacés et contempler le châtaignier le plus imposant de toute la Provence – plus de 9 mètres de circonférence.

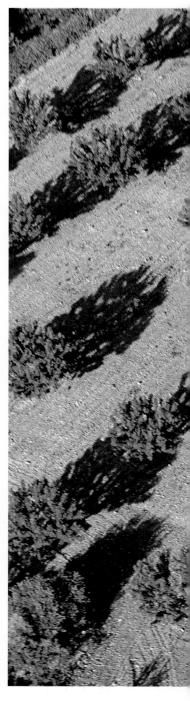

PAGE DE GAUCHE *Grands espaces feuillus autour de La Garde-Freinet, qui, il y a mille ans, était un village sarrasin. On se souvient surtout des Sarrasins pour leurs pillages, mais entre deux raids, ils enseignèrent l'art du liège aux gens de la région – comment l'extraire de l'arbre, le faire sécher et le tailler en ces précieux bouchons destinés aux bouteilles de vin. Au XIXᵉ siècle, c'était la principale activité de La Garde-Freinet. Aujourd'hui, si vous rencontrez quelqu'un dans ce qui reste de forêt, ce sera vraisemblablement un randonneur, ou une famille cherchant un coin sauvage pour pique-niquer.*

CI-DESSUS *Le vent ébouriffe les arbres de ce verger près des Arcs, village qui, malgré sa petitesse, a de quoi satisfaire à la fois l'historien qui sommeille en chacun de nous et la bête qui a besoin de manger. L'église possède une fresque du XVIᵉ siècle représentant le miracle de sainte Roseline, et, pour une raison qui n'est pas immédiatement évidente, une crèche ancienne à fonctionnement mécanique. Quant à l'estomac, voir Le Logis du Guetteur, un château restauré avec une piscine et un bon restaurant. C'est une halte très agréable, où vous pouvez faire une pause avant la ruée finale vers la Côte.*

*CI-DESSUS Avec leur air de champignons verts sur pilotis, ces pins parasols évoquent le Sud,
au même titre que le vin rosé et le serpolet. Ils ont même leur propre signalisation sur les autoroutes,
et leur apparition est le signe que vous venez de quitter les contrées plus rudes du nord de la Provence.
Une promenade dans une forêt de pins parasols, comme celle-ci, au nord de Fréjus, vous offre un
merveilleux contraste avec vos escalades d'escarpements rocheux. Vous marchez sur un tapis moelleux,
silencieux, un épais coussin d'aiguilles tombées étouffe le bruit de vos pas, l'air est pur et frais, plein
d'odeurs légères. Les arbres eux-mêmes, bien que souvent agités par le vent, s'arrangent presque
toujours pour rester gracieux.*

*PAGE DE GAUCHE Saint-Tropez tient sa mauvaise réputation du mois d'août : trop de gens, trop de
circulation, hôtels surchargés et restaurants hors de prix. Avec tous ses habitués des cafés parisiens,
on la surnomme parfois Montparnasse-sur-Mer. Mais allez-y en avril ou en mai : tout est différent.
Débarrassé de sa foule d'estivants, son charme redevient visible, et vous comprendrez pourquoi il attira
les artistes au début du siècle, et plus tard Brigitte Bardot. En fin de saison (dernière semaine
de septembre et première d'octobre), la ville fête la Nioulargue – course annuelle qui met aux prises
quelques-uns des plus beaux voiliers du port. Et en hiver – qui peut être étonnamment froid, Saint-
Tropez faisant face au nord – règne l'atmosphère agréablement paresseuse d'une communauté
jouissant d'une véritable hibernation.*

CI-DESSUS Les Adrets, dans l'Estérel, où des brigands avaient
l'habitude de se jeter sur de paisibles voyageurs pour les soulager
de leur argent (selon certains, la pratique s'en est perpétuée sur
la côte…). À une ou deux exceptions près, les toits sont recouverts
de ces tuiles doucement incurvées, dont on dit qu'elles épousent
le modelé d'une cuisse de femme. Il s'est passé bien des années
depuis que ces tuiles ont été moulées avec tant de soin, et il n'est
guère probable qu'on y revienne. De nos jours, la cuisse d'une
dame provençale – régime oblige – n'a plus la largeur suffisante.

PAGE DE GAUCHE Un aperçu de la baie d'Agay, avec les
montagnes de l'Estérel à l'arrière-plan. Les amateurs de vues
panoramiques en auront le souffle coupé (surtout s'ils y vont
à pied) – notamment au sommet du pic de l'Ours, du pic du
Cap-Roux ou du mont Vinaigre, avec ses 618 mètres dont chacun
est une merveille.

*PAGE DE GAUCHE, CI-DESSUS ET PAGES 150-151 C'est d'abord grâce à une épidémie de choléra
que Cannes devint à la mode. En 1834, lord Brougham allait en Italie quand il fut arrêté par un
cordon sanitaire : la frontière fermée, Sa Seigneurie se vit dans l'obligation d'interrompre son voyage
et de descendre dans le seul et unique hôtel que Cannes possédait alors. Il trouva ce petit village
de pêcheurs tellement à son goût qu'il y acheta un terrain et se fit construire une maison.
D'autres sommités suivirent, et bientôt voilà nos pêcheurs locaux frayant avec le gratin de l'aristocratie
anglaise, la famille du tsar et son entourage. Cannes avait conquis sa place dans la haute société.
Depuis, elle l'a toujours conservée.   .
Les « aristocrates » qu'on y rencontre aujourd'hui viennent plus vraisemblablement de Hollywood
que de la Chambre des lords, et vous verrez chaque année les barons de Beverly Hills au festival
du cinéma, qui font joujou avec leurs « loups de mer » et leurs téléphones mobiles. Cannes est un
endroit irréel – surexcité en été, morne en hiver, et absolument hors de prix toute l'année.*

CI-CONTRE ET PAGE DE DROITE Antibes a bien changé depuis le temps où elle était une ville fortifiée située sur l'ancienne frontière entre la Provence et la Savoie. C'est ici que Scott et Zelda Fitzgerald découvrirent le sud de la France et tous ses plaisirs, et qu'ils acquirent leur réputation de noceurs dans les années vingt. Picasso y séjourna également, et son passage est commémoré par une belle collection de ses œuvres au musée qui porte son nom. Les nababs garent leurs bateaux au port avant d'aller faire une petite visite à leurs pairs somptueusement installés dans leurs villas du cap d'Antibes, laissant les malheureux que nous sommes se bousculer sur le marché et observer les allées et venues des hélicoptères décollant de yachts aussi grands que des paquebots.

PAGES 154-155, CI-CONTRE, CI-DESSUS
ET PAGES 158-159 Contrairement à Cannes, sa
voisine sur la côte, Nice a sa vie propre, à l'écart des
festivals, des congrès et des touristes. Ceux-ci viennent
bien sûr la visiter, mais leur départ semble passer
inaperçu. Nice continue de vaquer à ses affaires tout
au long de l'année, et c'est un des endroits les plus
agréables pour passer un week-end d'hiver.
La cuisine niçoise vaut à elle seule le déplacement :
c'est un mélange de gastronomie française et italienne,
que l'on vous sert dans des centaines de restaurants,
du petit bistrot minuscule aux grands établissements
comme le Négresco ou la brasserie Flo.

Entre les repas, libre à vous de faire votre choix
parmi les musées – Art moderne, Art naïf, Beaux-Arts,
Chagall, Matisse, vestiges archéologiques, babioles
napoléoniennes et autres – ou tout simplement de
flâner dans les rues du vieux Nice jusqu'au marché
aux Fleurs, cours Saleya.
Il y a de l'architecture baroque, il y a un millier de
cafés, il y a Alziari, pour l'une des meilleures huiles
d'olive de toute la Provence, et Auer, pour ses chocolats
et ses confitures – divin ! –, il y a la longue courbe
élégante de la promenade des Anglais – en fait,
il y a beaucoup trop à voir et à faire pour un simple
week-end. Pourquoi ne pas prendre une semaine ?

INDEX